Система дальнейшего энергоинформационного развития (ДЭИР)

Эта книга сделает тебя неуязвимым для болезней и неудач

Дмитрий Верищагин

ОСВОБОЖДЕНИЕ

Система дальнейшего
энергоинформационного развития
I ступень

Санкт-Петербург
«Невский проспект»
2002

ББК 53.54
В 26
УДК 615.83

Верищагин Д. С.

В 26   Освобождение: Система дальнейшего энергоинформационного развития, I ступень. — СПб.: «Невский проспект»,
2002. — 186 с. (Сер.: Система ДЭИР)
         ISBN 5-8378-0006-9

Предлагаемая автором книги система ДЭИР (Дальнейшего энергоинформационного развития) — это целостная система достижения
гармонии и здоровья. Разрабатываемая в рамках секретных программ
по особому заказу высшего партийного руководства нашей страны в
конце восьмидесятых годов, она основана на методиках сознательного
управления энергетическими потоками.

Эта книга сделает вас неуязвимым для болезней и неудач, защи-
тит от сглаза и порчи.

ISBN 5-8378-0006-9

Общее напутствие

Открывая эту книгу, вы получаете шанс навсегда изменить свою жизнь, вступив на новую ступень эволюции. Вам откроются истинные причины здоровья, болезни, поступков и человеческой судьбы.

Вы станете свободными от влияния великих энергетических паразитов, правящих остальными людьми и толкающих их на самоубийственные поступки. Помните, что вы не должны причинять непродвинувшимся людям вреда. Отнеситесь к ним со вниманием и помогите.

Для вас будут доступны вещи, немыслимые для обычных людей. Не растрачивайте свои силы понапрасну в погоне за суетными достижениями. У вас великая цель — открытие нового мира и поиск своего места в нем.

Вы обретете способность исцелять, и этот дар придет к каждому своим путем. Употребите его во благо. Помогайте бескорыстно.

Ваша душа пройдет процесс укрепления, и вы сможете вести за собой других людей. Принесите им свет и радость, а не тьму и боль.

Вы перестанете зависеть от кармы и кармических болезней. Помогите достигнуть того же другим.

Вы будете владеть истинным инструментом изменения мира — верой. Пусть ваша вера принесет добро не только вам.

Чтобы пройти весь путь до конца, вам может потребоваться помощь. Обретите ее в таких же, как вы, путниках. Узнавайте друг друга в толпе. Учитесь друг у друга. Помните друг друга.

Взойдя на новую ступень развития, вы будете частью нового энергетического единства, единства свободных людей. Оказывайте друг другу поддержку. Помните друг о друге и делитесь друг с другом энергией, потому что цена свободы велика и подчас не под силу одному.

Помните о нас, кто первыми вступили в новый мир. Мы фокусируем новое энергетическое единство для вас. Обращайтесь к нам в трудную минуту, и мы придем на помощь. Обращайтесь к нам в минуту благоденствия, и мы сможем прийти на помощь миллионам других. Смерти нет. Мы отзовемся и из-за грани.

Ощутите связь со мной, автором этих строк. Я жду этого. Просите о помощи и помогайте мне.

Прибавьте к свету нового энергетического единства свои лучи. Создайте новое свободное человечество. Вы заслуживаете этого.

Вместо предисловия

История *системы ДЭИР* (дальнейшего энергоинформационного развития) началась в 1982 году, когда в мой кабинет, расположенный в административном здании иследовательского комплекса одного из военных городков под Екатеринбургом, тогда еще Свердловском, заглянул экстрасенс Петр Келдоровский, ходивший в то время в чине полковника, и окольными путями принялся вызнавать, нет ли у меня желания оставить проект, которым занималась моя группа. У меня как раз были свои причины задуматься над его предложением, и связаны они были с сутью разрабатываемого проекта.

Теперь об этом гораздо проще говорить, чем в те годы, но и сейчас я чувствую неясную тревогу, запечатлевая на бумаге слова «психотронное оружие». Это и был проект моей группы, немного «полусерьезный» в глазах ортодоксальных военных и поэтому не закрытый всеми возможными грифами по всей строгости закона (хотя, я знаю, существовала еще одна группа, работавшая в Москве над аналогичной тематикой в обстановке строгой секретности, а посему детали мне неизвестны). Что такое «психотронное оружие», оно же официально прекращенный проект СС 0709 «Дружба»? О нем понаслышке писали многие — от маститого экстрасенса-гипнотизера Кандыбы до разнообразных авторов популярных статей. Суть его состоит вот в чем: целенаправленное воздействие экстрасенса (или группы людей) может вызвать в сознании человека (или их группы) изменения, которые окажут влияние на их поведение. Например, если у восточного диктатора, занятого переговорами с соседом, появится непрерывная головная боль (или головокружение), то, вероятнее всего, переговоры не будут доведены до конца или не принесут желаемого результата. Если тот же диктатор ощутит агрессию и обиду, то результат переговоров будет прямо противоположный. Если летчик военного самолета заснет за штурвалом, то, понятно, ничего хорошего из этого не получится. Если в критический для страны момент глава государства будет пребывать в нерешительности и действия оппозиционеров тоже не будут отличаться уверенностью и последовательностью, то власть попадет в третьи руки. Кроме того, согласованное воздействие группы экстрасенсов-силовиков может вызвать, скажем, сердечный приступ у престарелого главы государства или стимулировать развитие рака у человека помоложе. А что может сделать телекинетик с межконтинентальной ракетой! Ну, а о таких простейших вещах, как создание неразберихи и атмосферы ненависти в семье государственного деятеля с целью отвлечь его внимание от более важных проблем, и говорить не стоит. Лаборатории, занимающиеся психотронными программами, есть в каждом государстве и являются неотъемлемой частью разведывательно-диверсионных учереждений.

Вот такими разработками и занималась моя группа, когда ко мне пришел Келдоровский. Я уже начинал уставать от проекта, который беззаветно «тащил» по заказу партии и правительства несколько лет. Не только и не столько потому, что испытывал колебания морального характера, — я и тогда считал и сейчас убежден в том, что наша страна находится под непрерывным давлением других государств, инстинктивно боящихся сильных русских. Страну, чтобы ее не разворовали и не сделали чьим-то сырьевым придатком, нужно защищать. Нет, меня утомило другое: во-первых, работа с чрезвычайно неуравновешенными людьми — природными экстрасенсами (видели бы вы истерики, что ежедневно закатывала группа телепатов!), во-вторых, непрерывное давление со стороны аналогичных групп противника (головные боли, непонятные и неприятные события, необходимость все время проверять готовность антителепатов, поддерживающих защиту...). Да и сам проект остановился в развитии. От нас все время требовали немедленных результатов, нам же были необходимы долгие и планомерные исследования. Короче говоря, Петр уже знал мой ответ. Мне хотелось уйти из проекта «Дружба».

Я принял предложение возглавить административную часть нового проекта. После сдачи дел, отсылки контейнеров на новое место, положенного отпуска, который прошел на редкость в удовольствие — еще бы: никаких проблем по работе! — я начал принимать дела в поселке под Новосибирском.

Новый проект назывался «Пастырь» и выполнялся по заказу непосредственно ЦК КПСС. Суть его была изложена всего на нескольких десятках листков — поразительная краткость по сравнению с сотнями папок проекта «Дружба» — и сводилась к следующему.

В условиях падения патриотичности советского народа высшее партийное руководство озаботилось проблемой выдвижения из своих рядов лидера. Это могло исправить ситуацию — такой человек, как Сталин, Ленин или Гитлер, воздействующий на массы не авторитетом своего поста, но личной харизмой, был бы способен объединить страну. Конечно, если бы ему помогали такие же сильные функционеры, которые проникали бы в самые души людей, чьего приказа невозможно было бы ослушаться. Да, это могло бы исправить положение дел в стране и восстановить пошатнувшийся авторитет партии.

В нашу задачу входила разработка системы приемов, при помощи которых один человек мог бы управлять многими — но так, чтобы те ничего не заподозрили.

В принципе, задача была вполне выполнимой и не слишком отличалась от разработок проекта «Дружба». Практически любой из моего прежнего проекта был способен применить такие приемы на практике (разумеется, кроме чистых ясновидцев). Но никто из них не принадлежал к партийной верхушке! Итак, в нашу задачу входило создать такую систему приемов, которые были бы доступны для любого, даже совершенно неразвитого человека со средней или слабой энергетикой. Это представлялось трудным делом, но все-таки не невыполнимым.

Вскоре мне представили членов нашей группы — Алексея Грыщака, невысокого лысеющего человека, отличавшегося уравновешенным нравом и великолепными телепатическими способностями, и Сергея Десменцова, высоченного украинца с лучшими в Союзе показателями по ясновидению и многообещающего экстрасенса-силовика. Таким образом, нас было четверо — я, Петр Келдоровский, Алексей Грыщак и Сергей Десменцов. Я хочу, чтобы вы запомнили имена этих людей, потому что они были первыми. Они создали систему ДЭИР — систему Дальнейшего ЭнергоИнформационного Развития. Запомните их.

Я не буду утомлять вас описанием всех событий, которые происходили с нами в период разработки проекта. Приезжали и уезжали проверяющие чины. Проводились долгие исследования и изучались тысячи возможностей. Система постепенно приобретала законченный вид. Но не все то, что у нас получалось, подлежало полной демонстрации представителям заказчика.

Мы вынуждены были все проверять на самих себе. Для того чтобы процедуры управления стали действенными, человек должен усилить собственную энергетику. Но этого не добиться, если не отключить ее раз и навсегда от посторонних управляющих влияний — то есть стать неуправляемым со стороны. Мы прошли через это и только потом поняли, что сделали политически весьма опасный шаг, ибо неуправляемым в нашем обществе не место.

Чтобы все происходило как запланировано, нужно было застраховаться от противоречивых импульсов подсознания, — и мы разработали системы размещения внутри себя программ на здоровье и удачу.

Полностью в соответствии с требованиями заказчика мы создали систему управления посторонними людьми, которая мгновенно становилась неотъемлемой частью навыков обучающегося.

Программу можно было уже сдавать, но мы медлили, понимая, что это было бы равносильно самоубийству, — мы уже опередили в собственном развитии заказчика, и, что хуже всего, это сразу же стало бы очевидно для любого обучающегося управлению (тогда мы еще не придумали название ДЭИР).

По инициативе Келдоровского мы ввели в проект элементы, связанные с продлением жизни и сохранением здоровья. Нами двигало просто стремление к совершенству — ведь вопросы поддержания здоровья при умении управлять собственной энергетикой настолько элементарны, что никто из посвященных не озабочен этими проблемами всерьез! Но мы ориентировались на людей неподготовленных, которые придут после нас.

Мы разработали и исследовали систему подъема личного магнетизма — харизмы, заставляющей обычных людей стремиться к подчинению.

Келдоровский с Десменцовым отдельно разработали систему повышения энергетики души и применения веры как инструмента для управления — не людьми, а явлениями окружающего мира. Когда к ним присоединился Грыщак, они в совершенстве освоили приемы жизни после смерти.

Таким образом, проект существовал уже в расширенном виде — его развитие пошло совсем не тем путем, который был определен заказчиком. В 1988 году система ДЭИР окончательно оформилась в том виде, в котором мы ее вам представляем.

Между тем политическая ситуация в стране менялась день ото дня. Один за другим ушли в мир иной Брежнев, Андропов, Черненко... Пришел Горбачев, и была объявлена перестройка. Власть слабела на глазах, и мы, не чувствуя более опасности для себя, в 1989 году объявили о завершении своей работы.

Приемка проекта прошла довольно прохладно, но в том же году мы провели курс обучения с некоторыми довольно известными людьми, которые и сейчас часто мелькают на экранах телевизоров. Гриф секретности с проекта был снят, и к обучающимся присоединились посторонние люди. Интересно, что все они ограничились прохождением только собственно курса управления. Ни один не согласился на полное обучение.

Потом, в 1992 году, наступило затишье. Келдоровский и я подали рапорты об увольнении. Тут и начались наши несчастья. Я первым распознал, что мы оказались под прицелом психотронного оружия, примененного с дьявольской изощренностью и огромной поражающей силой. Петр погиб от сердечного приступа, а Алексея Грыщака в 1994 году свела в могилу опухоль. Но уволиться нам все же дали. Помогли хорошо освоенные нами приемы защиты, позволившие выдержать то, чего не мог бы вынести ни один неподготовленный человек.

Сергей Десменцов, воспользовавшись неразберихой и войнами на территории бывшего Советского Союза, смог уехать в Америку... А я остался, потому что не могу жить не в родной стране. Но с людьми я больше почти не встречаюсь.

Кроме того, передо мной стоит еще одна задача. Однажды, когда мы осознали всю глубину разработанной нами системы ДЭИР и поняли, что эти знания слишком важны, чтобы их потерять, мы обменялись доверенностями, позволяющими любому из нас действовать от лица остальных. Мы не могли позволить обретенным знаниям, способным дать надежду всему человечеству, умереть вместе с нами.

Я, Дмитрий Верищагин, передаю эту рукопись для издания моему доверенному лицу, соавтору и ученику Кириллу Титову. Я действую от своего лица и от лица моих коллег, первооткрывателей системы ДЭИР — Петра Келдоровского, Алексея Грыщака и Сергея Десменцова.

Те, кто станут нашими учениками, получат надежду. Они освободятся и обретут здоровье. Они будут жить дольше обычных людей, и им будет сопутствовать удача. Они смогут то, что недоступно обычному человеку.

Счастья всем вам!

> *Дмитрий Верищагин* от себя лично и от лица
> Петра Келдоровского,
> Алексея Грыщака,
> Сергея Десменцова.

Причины и следствия вокруг нас: энергоинформационное поле

Каждый из вас, наверное, не раз задавался вопросами: почему я все время болею, когда другие кажутся такими здоровыми? Почему ко мне не приходит удача, а другим все легко и быстро удается? И как вообще выбраться из своих многочисленных проблем и неприятностей? Почему человека словно что-то удерживает от полного довольства и совершенного здоровья?

Может быть, вы уже испытали для достижения благополучия все возможные и невозможные средства? Принимали очень дорогие лекарства, записывались на прием к лучшим врачам, чтобы вылечиться? Пытались — неоднократно и безуспешно — устроиться на высокооплачиваемую работу, чтобы наконец поправить свое финансовое положение? Чего только не делали, чтобы наладить отношения в семье? А толку никакого, не так ли?

Не отчаивайтесь и не думайте, что вы один такой. Так чувствует себя большинство людей, хоть и не все в этом признаются.

Все эти неприятности происходят только потому, что большинство людей не знает самого главного: путь к здоровью, счастью, благополучию открыт для каждого, но его обычно не видят. Стоит только выйти на этот путь — как отступают болезни, неприятности, проблемы и жизнь начинает сиять только радужными красками.

Не верите? Я предлагаю вам, дорогой читатель, на вашем собственном опыте убедиться, что это так. Система ДЭИР специально разработана для того, чтобы помочь вам в этом.

Прежде всего, надо понять, почему обыкновенному человеку сегодня приходится так непросто. Да потому, что все усилия современного общества (впрочем, это было испокон веку) сосредоточены только на достижении экономических целей. А на самого человека, на процесс его личного внутреннего развития общество не обращает никакого внимания.

Человека, живущего в этом обществе, можно уподобить узнику, который ищет путь к свободе, к истинному смыслу жизни, к здоровью, но натыкается только на стены своей тюрьмы. Эта тюрьма похожа на дом со множеством комнат, что создает некоторую иллюзию свободы — ведь узник может открывать одну дверь за другой, переходить из комнаты в комнату. Но он не знает, что, сколько ни открывай эти двери, можно так и умереть, не увидев света, не получив ни глотка свежего воздуха.

Посудите сами! Вот человек достиг невиданного уровня технического прогресса, полагая, что таким образом он прорвется к счастью и всеобщему благополучию. Не тут-то было: технический прогресс оказался лишь дверью в очередную темную комнату. Человек покорил природу, вырвался в космос, долетел до Луны... И что? Что изменилось для него на Земле? В его жизни разве нет больше проблем? Он стал счастливым, здоровым? Да ничего подобного. Проблемы все те же, что и сто лет назад, да еще и новые добавились в виде СПИДа и других неизлечимых болезней, в виде спада рождаемости и рождения все большего числа больных детей, в виде экологических катастроф, массовых стрессов, войн, переворотов, актов терроризма и насилия, роста смертности от инфарктов и инсультов...

Это — тупик, и вот почему. Мир, в котором мы живем, — материальный мир — является лишь временным этапом, который надлежит пройти каждому, но от которого невозможно ждать настоящего полного счастья и в котором нельзя обрести истинный смысл жизни. Человек, который хочет все это найти в материальном мире, очень похож на мотылька, который бьется, бьется о стекло, только крылья себе ломает, и не видит, что рядом открыта форточка.

Да-да, в нашей тюрьме есть это открытое окно, которое, если его не искать, не видит многострадальный узник — человек, занятый открыванием новых и новых дверей и не понимающий, что за ними — только мрак и пустота. Но не зря в Библии сказано: «Имеющий уши да услышит, имеющий глаза да увидит». Через это окно открыт путь к свободе. Через это окно вы познаете истинную сущность мира. Вы поймете, что мир, который нас окружает, совсем не таков, каким мы его привыкли видеть невооружен-

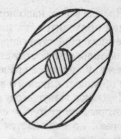

Рис. 1. Наш с вами мир — он
равномерно заполнен живым
энергоинформационным полем.

Рис. 2. Человек в поле Вселенной —
как частичка воды в безбрежном
океане.

ным глазом. Вы убедитесь, что этот мир насквозь пронизан энергией, что сущность мира — энергоинформационная, что ваша истинная сущность тоже не принадлежит к плотному, материальному миру, в котором живет наше физическое тело. Что наши цели
с легкостью достижимы, только нужно знать как.

То, что обычно называют сознанием (а нельзя забывать о том,
что все-таки наше сознание — это и есть мы — личность, память,
мысли), не принадлежит к нашему миру, оно не является материальным предметом и никогда и никем не обнаруживалось при
вскрытии. Сознание относится к энергоинформационному миру.
Первооснова всей жизни — это единое энергоинформационное
поле Вселенной. Сознание каждого человека — лишь частичка
этого единого энергоинформационного поля. И причина всех наших болезней, страданий, проблем вовсе не в физическом теле,
как ошибочно думают многие. Эта причина лежит в нашей энергетической составляющей, вернее, в неправильной циркуляции
энергии — той энергии, которая и является истинной сущностью
человека.

Если вы болеете и никакие врачи вам не могут помочь, это
означает лишь одно: ваша энергоинформационная сущность настоятельно требует к себе внимания. Требует, чтобы вы наконец
нормализовали движение своей энергии, очистили ее, освободились от патологических замыканий.

Общество сегодня вообще официально отрицает энергоинформационную сущность мира (впрочем, это не мешает практически в каждой стране заниматься этим вопросом многочислен-
ным засекреченным правительством группам). Поэтому оно и не
может показать вам истинных путей к свободе, к здоровью, к об-
ретению подлинного смысла жизни.

Когда вы сумеете понять, принять и почувствовать вашу истинную сущность, жизнь станет совсем другой. Вы научитесь управлять своей энергией, самостоятельно приводить ее в норму, избавляться от патологических энергетических связей, которые приводят к болезням. Вы реализуете заложенные в вас от природы гигантские возможности, которые сейчас вы используете лишь на несколько процентов. Вы обретете силу и с легкостью получите ключи ко всему тому, к чему сейчас с неимоверными усилиями и при этом абсолютно безрезультатно стремитесь: к здоровью, везению, удаче. И даже к тому, что пока вам, вероятно, кажется фантастикой: к способности предвидеть события и управлять судьбой. Вот когда вы всего этого достигнете, это будет означать только одно: вы вступили на новую ступень эволюции, более высокую, чем та, на которой вы находились раньше.

Глава 1

Весь мир — это энергия. Его явления — это энергоинформационные процессы

СОЗНАНИЕ ВОЗДЕЙСТВУЕТ НА МАТЕРИЮ

Что же такое эта энергетика, которая лежит в основе всего — здоровья и болезни, удачи и невезения, благополучия и неустроенности? Что это за энергия, которую вы пока не научились ощущать своими органами чувств? Вот электрическая энергия, например, — другое дело: еще как ощутима. Но ведь, заметьте, радиацию или радиоволны мы тоже не ощущаем. Тем не менее каждый из нас стопроцентно уверен, что они существуют на самом деле. Так же и с энергоинформационным полем: если вы пока не научились его ощущать, это вовсе не значит, что его нет.

Именно энергоинформационное поле управляет всеми биологическими процессами. Именно оно в конечном итоге является носителем сознания и души человека. Энергоинформационное поле организует и направляет жизнь и существование материи, поскольку оно, как мы уже говорили, является первоосновой жизни.

Так называемые принципы эволюционной самоорганизации материи, которым нас учила материалистическая наука, — неправда. Материя — от живой клетки до небесных светил — никогда бы не приняла тот вид, какой она имеет, не будь организующего начала: энергоинформационного поля. Именно оно объединяет весь мир в единую систему. Без него в мире царил бы хаос.

Вспомним теорию вероятностей. Ведь чисто статистическая вероятность такого объединения молекул и атомов, которое в итоге даст жизнь, очень мала, практически равна нулю. Практически невозможно случайное возникновение на Земле такого химического состава воздуха и воды, при котором могут выживать живые организмы, такой концентрации ультрафиолетового излучения, которое будет греть, но не сжигать, такого климата, при котором самым разным живым существам будет комфортно, и т. д. Слишком много «случайных» совпадений, не так ли?

Все это «устроило» энергоинформационное поле. Это оно способствовало организации порядка из хаоса. Оно породило жизнь на Земле, а значит, и нас с вами. Сознание человека, его душа — суть энергоинформационная структура.

Природа энергоинформационного поля никому не известна. Но оно есть и является одним из фундаментальных и незыблемых элементов Вселенной.

Но самое интересное, что при помощи того же самого энергоинформационного поля человеческое сознание может воздействовать на окружающий мир! Каждый из нас может быть творцом своей собственной Вселенной, создавать вокруг себя тот мир, который нам нужен. Сознание — энергетическая структура и в состоянии воздействовать на окружающий мир. Но люди не осознали еще своего могущества — а потому прозябают в до тошноты

Рис. 3. Поле человека влияет на поле Вселенной.
Очень похоже на камень, брошенный в пруд.

знакомом, вдоль и поперек изученном физическом мире, вместо того чтобы открыть дверь в мир настоящий — таинственный и безмерный, в мир, где их ждут безграничные возможности.

Может быть, вы считаете, что влияние нашей с вами энергетики слишком слабо и незначительно, чтобы мы могли претендовать на роль творца и считать, что можем воздействовать на окружающий мир? Но ученые давно убедились в возможностях биоэнергии. Взять хотя бы эксперименты, проводившиеся с экстрасенсами Кулагиной и Давиташвили. А Ури Геллер, который вот уже много лет без контакта гнет ложки и вилки взглядом, а теперь еще и обучает тому же детей? Многочисленные открытые эксперименты проводились у нас в России начиная примерно с 40-х годов. Существует даже прибор для определения у человека экстрасенсорных способностей — он состоит из стрелки, подвешенной в вакууме на тонкой кварцевой нити. Под влиянием экстрасенса-энергетика стрелка начинает закручиваться.

Исследовала наука и такое довольно редкое явление, как телекинез — способность отдельных людей передвигать предметы, что называется, усилием воли. Мощный экстрасенс может сосредоточиться, посмотреть пристально, например, на спичечный коробок — и коробок начинает прыгать по столу, а потом падает на пол.

Подобные опыты не раз проводились в лабораториях, результаты зафиксированы на фото- и видеопленке: да, действительно, возможно воздействовать сознанием на материальный мир. В нашей лаборатории одновременно трудились 10—15 человек, обладающих экстрасенсорными способностями. Петр Келдоровский, например, мог взглядом удерживать и перемещать в воздухе вес до 1 грамма (1-копеечная монета) в течение 10—15 минут. Мы еще шутили, что, таская взглядом бриллианты, он за день стал бы миллионером. В проекте «Дружба» участвовали, по моим подсчетам, около 500—600 человек с мощным экстрасенсорным даром.

Так какой же силы должно быть это воздействие, чтобы заставить перемещаться вполне ощутимый, обладающий весом и объемом материальный предмет, заставить составляющие его молекулы разом двинуться в одном направлениии? Притом что энергии в привычном смысле слова, то есть прямого действия силы на передвигаемый предмет, не было вовсе! Просто часть молекул, которые в обычном состоянии пребывают в постоянном беспорядочном движении, под воздействием экстрасенса «почему-то» совершали свое очередное тепловое движение не хаотически, а в нужном ему направлении. Никакой закон сохранения энергии при этом нарушен не был.

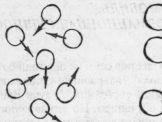 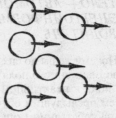

Представьте только, какую мощь высвободило энергоинформационное поле! Ведь молекулы любого предмета при комнатной температуре движутся со скоростью свыше сотен метров в секунду. А если все они полетят по воле экстрасенса в одном направлении? Предмет, состоящий из этих молекул, мгновенно приобретет скорость артиллерийского снаряда.

Наука уже давно научилась не только фиксировать силу воздействия энергоинформационного поля, но и получать его видимое изображение. Чаще всего поле человека фиксируется с помощью фотографии. Этот метод носит название **Кирлиан-эффект** по имени российского исследователя, впервые получившего фотографическое изображение того, что называется аурой, или энергетической оболочкой человеческого тела. В основе этого метода лежит способность любого живого объекта светиться, будучи помещенным в электромагнитное поле. Мы давно научились не только фотографировать таким образом ауру, но и диагностировать по ее форме, размеру и цвету состояние здоровья человека. Ниже приведен снимок ауры указательного пальца.

Итак, научные доказательства существования энергоинформационного поля получены. Сегодня с ним работают не только экстрасенсы, колдуны и маги, но и ученые большинства стран мира. Чтобы сделать эту работу доступной для каждого, **нужно решить вопрос, как должно строиться взаимодействие человека с энергоинформационным полем, как сделать это взаимодействие сознательным.**

ТЕЛО — АВТОМОБИЛЬ, ЭНЕРГОИНФОРМАЦИОННАЯ СУЩНОСТЬ — ВОДИТЕЛЬ

Почему же вы до сих пор сами не ощутили воздействия энергоинформационного поля? Только потому, что ваши чувства находятся пока в неактивном состоянии, будучи приведены в таковое всем предыдущим обучением. Но это дело поправимое: убедиться на собственном опыте в том, что энергоинформационное поле существует, может каждый. Пока что поле все время оказывается где-то за пределами вашего восприятия, потому что с вами происходит примерно то же самое, что с котятами, над которыми был поставлен один достаточно известный эксперимент.

Двум котятам практически сразу после рождения (когда они только получили способность видеть) экспериментаторы неподвижно зафиксировали голову. И в таком состоянии их продержали несколько месяцев. Голову первого котенка зафиксировали так, что перед его глазами были только вертикальные линии, а если попадались предметы, то они тоже были расположены строго вертикально. Перед глазами второго котенка были только горизонтальные линии и горизонтально ориентированные предметы.

Когда котят наконец отпустили и дали им возможность двигаться так, как они хотят, выяснилась удивительная вещь. Оказывается, котята абсолютно не воспринимали предметов, расположенных в незнакомых им направлениях. Так, первый котенок все время стукался о перекладины табуреток и не мог переступить порог — спотыкался о него и падал. Он просто не видел порога, потому что не приучился воспринимать горизонтальные линии! А второй котенок беспрестанно натыкался на ножки стульев и столов и набивал себе шишки.

Вот так же и мы вынуждены заново учиться воспринимать энергоинформационное поле, потому что весь наш физический, материальный мир — культура и то общество, к которому нас приучают с рождения взрослые, предпочитает не видеть этого поля, ничего не знать о его существовании, закрывать на него глаза. И вот мы стукаемся о миллионы невидимых для нас «углов», и наживаем болезни, и страдаем от недостатка свободы, простора, света в нашей жизни. Но главное — не только живем, но и умираем в заключении. Тогда как на свободе — для тех, кто смог ее достичь, — смерть не грозит нам вообще! Тот, кто научился чувствовать свою душу и сознательно един с ней, сохранит над ней контроль навсегда.

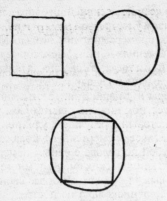

Рис. 4. Квадрат — это шаблон для восприятия материального мира;
круг — энергоинформационная сущность.
Круг просто не пролезает в квадратный шаблон.

Вы скоро и сами убедитесь, что именно эти мощные энерго-информационные взаимодействия и управляют той материей, из которой соткано наше собственное тело. Именно они «заведуют» работой всех органов, тканей, систем вашего организма.

Ваше тело — это автомобиль, а энергоинформационная сущность, сознание, душа — водитель. Кто управляет автомобилем? Конечно, водитель. Не сам же по себе едет автомобиль! А вы думали, ваше тело существует само по себе, само собой управляет? Как бы не так! Кто чинит автомобиль, устраняет неполадки? Тоже шофер. И если даже автомобиль полностью выйдет из строя, например от старости, и его придется отправить на свалку — шофера-то не увезут на свалку вслед за ним. Он в крайнем случае может и пешком дойти.

А вот если автомобиль «возомнит», что он тут самый главный, он сам себе и хозяин и шофер, — вот тогда жди беды. Вырвав руль у настоящего водителя и начав колесить как придется, он и себя и шофера угробит.

Так и мы должны осознать: тело — это лишь «автомобиль», лишь средство передвижения, лишь слуга настоящего хозяина и шофера, которым является наша энергоинформационная сущность. Телу — слуге ни в коем случае нельзя отдавать руль, нельзя позволять ему играть роль хозяина.

Вы все еще не верите, что это так? Вы продолжаете считать, что управляющим центром человека является не энергоинформационная сущность, а что-либо другое — мозг, например? Но известно немало случаев, когда даже при массивнейших поражениях мозга человек оставался в здравом уме, трезвой памяти и полностью сохранял сознание. Далеко за примерами ходить не надо. Мы все учились в свое время на произведениях Ленина. Некоторые из этих произведений были написаны им тогда, когда у вождя пролетариата фактически бездействовало одно полушарие мозга!

Есть такие примеры и в наши дни. Газеты много писали об одном достаточно известном и очень талантливом человеке, жителе Екатеринбурга, который в результате уличной схватки с хулиганами получил фактически смертельные поражения: его били тяжелой чугунной трубой по голове с явным намерением убить. Он пережил несколько клинических смертей, много месяцев провел без сознания, но выжил — и сохранил все свои способности и таланты, его интеллект нисколько не пострадал, сохранилась прекрасная память. Он и сейчас ведет активный образ жизни, увлекается спортом, занимается бурной общественной деятельностью, много ездит по стране. И мало кто догадывается, что большую часть его черепа не удалось восстановить и пришлось сделать ее из... пластмассы. И под этим пластмассовым черепом лишь остатки того, что называлось когда-то мозгом. Да, огромная сила воли, жажда жизни очень помогли ему. Но где же, так сказать, территориально находилась эта воля и жажда жизни, когда мозг бездействовал? Ответ прост: в энергоинформационных сферах.

Одной из наблюдаемых нами пациенток под Новосибирском была шестилетняя девочка, которая провела больше месяца на больничной койке в состоянии мозговой комы, когда деятельность всех жизненно важных систем организма поддерживалась только с помощью специальной аппаратуры. Врачи готовили родителей к худшему, ибо были убеждены, что девочка, скорее всего, не выживет, а если и выживет, то будет явно неполноценной. С точки зрения нашей медицины, столь долгое пребывание в коме не может пройти для мозга бесследно и в результате непременно начнутся нарушения психического развития.

Сейчас это вполне нормальный ребенок, нисколько не отстающий в развитии от своих сверстников. Медики не находят у нее никаких отклонений и нарушений и считают, что произошло чудо, потому что объяснений этому феномену они дать не могут. Но мы-то с вами уже знаем это объяснение: сознание «живет» не в мозгу. Оно не принадлежит к материальному миру. Оно принадлежит к миру энергоинформационному. К тому самому миру, существование которого не хочет признавать любое экономически ориентированное общество. И в этом его огромная и фатальная ошибка.

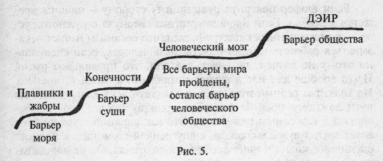

Рис. 5.

Ведь личный путь эволюции человека лежит не в сфере экономических отношений. Этот путь лежит не в обществе и вообще не в физическом мире. Путь эволюции, предназначенный человеку, лежит в тонком мире, в мире энергоинформационном. Человек страдает именно потому, что пытается проложить путь своей эволюции в обществе, в социуме, в физическом мире, не догадываясь, что это ложный путь. Ведь самой природой предназначено развиваться, расти, эволюционировать энергоинформационной сущности человека, а не его телу, не его оболочке, называемой «человек социальный». Человеческое тело и мозг настолько совершенны, что у homo sapiens уже не осталось врагов в биологическом мире. Внешняя среда тоже перестала быть проблемой. Тело, таким образом, уже исчерпало свои возможности для дальнейшего развития — просто не осталось барьеров, которые нужно преодолевать! Как приспособление для выживания тело переросло самое себя, и человечество, пытаясь вести «жизнь тел», давно зашло в тупик. Теперь основные враги человека — его сородичи и продукты его собственной деятельности: экология, налоги, перенаселение.

В социуме человеческой эволюции быть не может — надо это понять и усвоить, и чем раньше, тем лучше.

Самой природой человеку предназначено развить способность общения с энергоинформационным миром. Для желающих выжить в XXI веке это просто необходимо.

ЛОЖНОЕ РУСЛО ЭНЕРГИИ — ПУТЬ К ГИБЕЛИ

Энергоинформационные взаимодействия — основа основ. Это ключ ко всему. К здоровью и болезни. К неудаче и везению. К предвидению. К отработке кармы. И даже к жизни после смерти.

Если шофер повернул руль не в ту сторону — машина врежется в дерево. Если наша энергетика свернула с нужного русла — жди жизненных катастроф, жди, что организм начнет отказываться работать и будет болеть. Ведь человек, если специально этому не научен, не знает, где оно, это правильное русло. И что вообще для нас в жизни правильно, а что неправильно. Не зная, где верный путь, человек может очень далеко уйти по пути ложному, пока не прозреет, приняв, что вел себя неправильно и тем самым губил себя. Это как наркоман, который не знает других путей к свободе, к внутренней гармонии, к полноте ощущения жизни и ищет все это в наркотиках. Он не догадывается до поры до времени, что губит себя, ведь каждая очередная доза наркотика приносит ему временное облегчение, улучшает его состояние. И он не знает, как улучшить свое состояние другим способом. В итоге — гибель.

В чем же неправильность выбранного большинством людей пути? И где оно, это правильное русло для нашей энергетики?

Ошибка многих людей в том, что они направляют всю свою энергию на мир материальный, физический, вместо того чтобы направлять ее к своей энергоинформационной сущности. Люди не знают, что материальный, физический мир, мир экономически ориентированного общества выкачивает всю нашу энергию как сверхмощный вампир, не давая взамен абсолютно ничего.

Материальный мир, которому мы служим, отнимает наше здоровье, счастье, гармонию, потому что мы сами добровольно отдаем ему себя целиком, отдаем все свои жизненные силы. Ведь мы привыкли считать, как нас всегда учили в школах и институтах, что, кроме материального мира, в природе и нет ничего, что этот материальный мир тут самый главный, что он единственный и неповторимый и что именно он должен нам обеспечить благополучие, радость, комфорт и процветание, потому что больше это сделать некому.

В этом — самая главная, самая роковая ошибка человечества. Потому что на самом деле материальный, физический мир в нашей с вами Вселенной совсем не главный. Более того, он играет здесь совсем незначительную, второстепенную роль. И совершенно ни к чему отдавать ему все свои силы. То, что действительно имеет значение, — это мир энергоинформационный.

Именно энергоинформационному миру мы должны научиться отдавать свою энергию. Это и есть единственно правильное русло для циркуляции нашей энергетики. Ведь энергоинформационное поле, в отличие от материального мира, щедро платит за полученную от нас энергию. В ответ оно дает нам и силу, и здоровье, и жизнестойкость, и информацию о том, как нам жить, куда идти, что делать, чтобы нас не покидал успех, — информацию, которая приходит обычно в том виде, что мы называем интуицией, внутренним голосом.

Но поскольку люди обычно игнорируют свою энергоинформационную сущность и не поставляют ей своей энергии, то их энергия попусту рассеивается в социуме, в мире физическом, видимом глазу, а в ответ приходит лишь пустая, ненужная информация, которая ведет человека в жизни по ложному пути. Энергетический обмен в таком случае становится несоразмерным. Вы тратите уйму сил, а в итоге получаете за это непропорционально мало жизненных благ, если получаете их вообще.

Представьте себе, что вы покупаете арбуз, за который с вас требуют кучу денег, по весу равную арбузу, оправдывая это тем, что вес обмениваемых предметов должен быть одинаков. Вы, конечно, возмутитесь и скажете, что арбуз столько не стоит. А между тем в жизни вы только и делаете, что платите непомерную цену за мизерный результат. Это как раз и есть модель нашего энергообмена с социумом. Согласитесь, что это патологический, ненормальный энергообмен.

Рис. 6. Только если отдавать силы энергоинформационному полю, то они возмещаются. Отдача сил грубым предметам, например мебели и деньгам, — это только потеря сил, пусть даже вы и добиваетесь своего.

При нормальном обмене вы за этот арбуз должны заплатить лишь одну монету достоинством в пять рублей. Именно по этому принципу и происходит наш энергообмен с энергоинформационным полем. В отличие от энергообмена с материальным миром, энергообмен с полем всегда эквивалентен. Делая только один шаг навстречу полю, вы получаете даже гораздо больше, чем ожидали.

Например, вы мучаетесь какой-то болезнью и тратите много сил, чтобы вылечиться: посещаете врачей, бегаете по аптекам, томитесь в очередях в поликлинике... Вы безумно устаете от всего этого, треплете себе нервы и в конце концов возвращаетесь домой от врача невылеченным, все с той же болезнью. И вам ничего не остается делать, как сетовать: «Да, у нас, чтобы лечиться, надо быть очень здоровым человеком...» Вы ведь не догадываетесь, что **достаточно послать энергоинформационному полю сотую долю затраченной вами энергии, чтобы болезнь прошла**.

В КАПКАНАХ ОБЩЕСТВА: ПОЛОЖЕНИЕ ДЕЛ СЕГОДНЯ

Человеческая энергетика сегодня замкнута на физическом мире, на мире социума, тогда как истинная сущность человека — энергоинформационная сущность только и мечтает, как бы вырваться из этих сетей, из этих энергетических привязок, и, вырвавшись, обрести наконец свободу. Но пока этот ваш «шофер» сидит со связанными руками, которые связаны не чем иным, как этими самыми энергетическими привязками к социуму.

Конечно, рядом с вами в обществе живут другие люди, которые воздействуют на вас, вы поддаетесь их установкам, их целям, их стремлениям. А они ведь не понимают, что все вместе бегут в ложном направлении, они ведут себя так, будто твердо знают, куда надо идти, что надо делать, что их образ жизни — единственно правильный. Поэтому и вам кажется, что надо жить как все. И это неудивительно, ведь, скажем, если трамвай идет по рельсам, он не может никуда свернуть — рельсы для того и проложены. Трамвай тянет с собой всех находящихся в нем людей, и им ничего не остается, как следовать проторенным путем, поддаться общему направлению.

Но если вы вдруг поняли, что трамвай, в котором едет общество, идет совсем не туда, куда вам нужно? Тогда для вас нет ничего проще, как выйти из трамвая на ближайшей остановке и дальше идти своим путем.

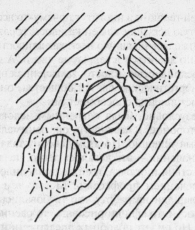

Рис. 7. Пересечение полей многих людей нарушает поле Вселенной —
получаются клочки, обрывки, хаос.

Путь эволюции у каждого свой, и он продиктован нам нашей энергоинформационной сущностью. Но в человеческом обществе очень часто происходит подмена, и человек начинает стремиться за чуждыми ему ценностями, навязанными социумом.

Если вы уже осознали, что вам постоянно приходится совершать поступки, которые в итоге ведут только к саморазрушению, если вы поняли, насколько жестко воздействует на вас посторонняя энергетика — энергетика человеческого сообщества, энергетика физического мира, заинтересованного лишь в погоне за материальными благами, за воспроизводством новой и новой материи, — значит, у вас обязательно хватит сил, чтобы освободиться от энергетических связей с обществом и обрести свои собственные цели, свой собственный путь эволюции и смысл жизни.

Одна из наших известных художниц, чьи работы очень ценятся за рубежом, еще молодой девушкой страстно хотела стать актрисой. Но, видимо, в эту профессию ее влекло не потому, что она так уж не могла жить без сцены. Как это часто бывает в юности, ее привлекало другое — внешний блеск, возможность быть всегда на виду, известность, мечта о высшем обществе, богемной жизни... В погоне за этой сказочной мечтой она четыре года подряд поступала в театральный институт. Ведь энергетическое воздействие социума, который навязывает человеку ложные цели и приносит только искаженную информацию, особенно сильно может воздействовать именно на юное, еще незрелое и неокрепшее существо.

Вместо нашей героини в институт почему-то всегда принимали какую-то другую девушку, как ей казалось, гораздо менее одаренную. Она обижалась на явную несправедливость и продолжала дальше усердно ломиться в закрытые двери. А ведь это вовсе не было несправедливостью, просто, захваченная внушением патологических энергетических связей общества, она не обладала нужными для поступления способностями.

Девушка, безусловно, была одаренным человеком, причем одаренным всесторонне. В частности, она занималась еще и живописью, и весьма успешно. Но этому своему таланту не придавала никакого значения — это давалось легко, делалось в основном для удовольствия и отдыха, и ей не приходило в голову связать с этим увлечением профессию. Между тем ее то и дело почему-то приглашали на работу, где требовались ее художественные способности: то афиши рисовать, то расписывать чашки или матрешек... Но она от подобных предложений отказывалась и работала дворником, чтобы все свободное время посвящать занятиям сценическим движением и вокалом.

Девушка была упорной. Она не хотела слышать настоящую себя. Она вела себя как зомби, потому что ее разум был захвачен энергетикой общества. Она разумом поставила себе цель и решила добиться своего во что бы то ни стало. И что же — на четвертый раз она поступила в институт. Если бы она тогда умела понимать себя, свое сознание, отбросила бы внешние влияния, она бы услышала примерно следующее: «Ты так хочешь добиться своей цели, хотя тебя не раз предупреждали, что тебе туда не надо? Ну что же, хочешь — получи. Только учти: расплачиваться и нести ответственность за свой выбор будешь сама».

Она окончила институт, пришла на работу в театр. Но что это — где же успех, цветы, поклонники, кинофестивали? Роли ей давали разве что эпизодические, месяцами она сидела без работы вообще. В кино не звали. Жизнь явно не складывалась. Когда молодая актриса стала уже не очень молодой, стало ясно, что шансов на успешную театральную или кинокарьеру нет. Вместо блеска богемной жизни было полунищенское существование, полная невостребованность и отсутствие перспектив. Потух блеск в глазах, началась депрессия, которую она пыталась снимать алкоголем. Это длилось довольно долго. Впереди уже замаячили алкоголизм и койка в психбольнице.

И тут она, к счастью, вспомнила о забытом увлечении живописью. Сначала холст и краски помогли ей справиться с депрессией. Потом оказалось, что это приносит деньги: нашлись знакомые, которые начали успешно продавать ее работы. Сейчас это более чем преуспевающий художник. Оказалось, что именно этот путь — путь художника — наиболее благоприятен для ее самореализации, эволюции, развития лучших душевных качеств, для того, чтобы ее судьба была благополучной. Но ведь на этот путь жизнь толкала ее с самого начала! Случись так — судьба не была бы такой изломанной, в душе не накопилось бы столько боли и горя.

Навязанные извне, не соответствующие нашей истинной сущности, ложные цели и желания ведут в никуда — только к болезни и смерти. Вот еще довольно типичный случай, произошедший в семье моего знакомого: у неженатого мужчины роман с замужней женщиной. Это действительно любовь, настоящая и взаимная, но она не может уйти из семьи, потому что у нее дети, которым нужен отец.

Но эти «незаконные» отношения по-своему прекрасны — в них есть сердечная близость, родство душ, взаимопонимание и тот праздник, который часто исчезает в браке. Тем не менее мужчина решает, что надо жить как все, то есть жениться и заводить детей. Он бросает свою любимую, его знакомят с молодой красивой девушкой, он женится, рождается ребенок. Семью надо содержать, жена требует денег, и он бросается в бизнес, в котором ничего не понимает. С женой душевной близости не получилось, от нее он слышит только упреки и придирки, в нелюбимом деле тоже терпит неудачи. Из жизни ушла радость, ушел праздник — ушел смысл.

Но с точки зрения всех знакомых и родственников у него все нормально: наконец-то образумился, завел семью. Общество радуется: ему удалось поймать человека в свои энергетические сети и подчинить себе.

Но через какое-то время у моего героя обнаружили рак желудка, пошли метастазы. Он умер молодым, в 35 лет. Медики скажут: постоянный стресс привел к болезни. Но можно объяснить и по-другому: он предал себя, свою душу, променяв ее на принятые в обществе стереотипы. Он отрекся от своей души, от своей энергоинформационной сущности, которая является носителем души и сознания. А без нее и тело не живет. Вся его энергия ушла на завоевание ложных целей.

Еще пример: пожилая женщина задалась целью накопить во что бы то ни стало десять миллионов рублей. Она отказывала себе во всем, существовала буквально впроголодь, не позволяла себе покупать даже самое необходимое — жила без телевизора и холодильника, сидела в потемках, экономя электроэнергию. Когда на ее сберкнижке оказалось ровно десять миллионов, женщина заболела и умерла. Ведь цель, которую она сама себе поставила, оказалась достигнутой. Дальше жить ей было вроде бы и незачем. Опять же ложная цель, навязанная обществом, в котором считается, что большие деньги приносят человеку счастье, — привела к тупику. А тот же энергетический потенциал, направленный на себя, дал бы этой женщине возможность прожить существенно дольше.

Все мы каждый день видим на улице и в транспорте множество больных и немощных стариков. И гораздо реже встречаем людей того же возраста, но бодрых, с блеском в глазах, еще активных в профессиональной жизни. В чем разница между ними? В том, что первые сказали себе: «Я больной, я несчастный, вот до чего меня довели перестройка, демократы, реформы, правительство». То есть они подчинились энергетике социума, полностью подчинили себя, свою энергоинформационную сущность законам окружающей материальной среды.

Вы только вдумайтесь — законы общества, внешние программы они сделали законами для своего сознания, своей души, своей высшей энергоинформационной сущности. А ведь у нее, у этой сущности, совсем другие законы, не имеющие ничего общего с законами общества и вообще с материальным миром. Заставляя душу, сознание жить по законам социума, мы загоняем нашу энергоинформационную сущность в клетку, в тюрьму материального мира. Наше эфирное тело, энергетические структуры сознания от этого слабеют, ведь когда человек полностью погружен в социум, его сущности не хватает энергии — общество выкачивает все. Такие люди действительно начинают болеть, таять на глазах и очень быстро умирают.

А другие люди — их ровесники, заметим, — не пожелали зависеть от политики, от правительства и даже от возраста. Они сказали себе: «Я сильный, я молодой, старости нет, возраст не имеет значения, главное — молодая душа, я люблю жизнь и буду жить долго и счастливо». Таким образом, они отключили свою энергию от социума, освободили от его законов свое сознание, свою энергоинформационную сущность, свою душу. Душа, освободившись от законов социума, обеспечила здоровье телу.

Следовательно, **если вы хотите выйти из жизненных тупиков, надо жить по законам энергоинформационной сущности, а не по законам грубой материи. А для этого надо научиться этой энергией управлять, отключать ее от материального мира и подключать к миру энергоинформационному.**

УПРАВЛЯТЬ ЭНЕРГИЕЙ МОЖЕТ КАЖДЫЙ

Чтобы стать независимым от общества и самому начать новую жизнь, к которой мы все предназначены природой, надо научиться управлять течением своей энергии. Нужно разрушить круг порочного включения в наше энергоинформационное поле, производимого патологически ориентированным человеческим обществом. Не исключено, что многие вещи, о которых я буду рассказывать, сначала покажутся вам чем-то неочевидным, сомнительным, а может, даже абсурдным. Но попробуйте все же хотя бы ради эксперимента последовать моим рекомендациям. И вы увидите, что перед вами откроется совершенно новый мир. И ваша жизнь обретет другой, гораздо более глубокий, свой истинный смысл.

Вы боитесь, что не сможете этому научиться? Считаете, что управлять энергией практически невозможно? Совершенно напрасно. Хотите убедиться, что вы можете это делать прямо сейчас? Пожалуйста.

Все, что вам для этого нужно сделать, — наполнить стакан водой и поставить его на стол перед собой. Окуните в воду палец — любой, вот хотя бы указательный правой руки. Теперь выньте палец и посмотрите на него. Видите — вода скатилась с пальца достаточно быстро? А теперь сомкните ладони, прижмите их друг к другу и посидите минуту с сомкнутыми ладонями. Потом разомкните их и обхватите двумя ладонями стакан. Попытайтесь ощутить ладонями воду за стенками стакана. После этого снова окуните в воду палец. Вы заметите, что теперь вода скатывается с него как бы нехотя, гораздо медленнее, чем в первый раз.

Что же произошло с водой? Все очень просто: ваше собственное поле, сконцентрированное между ладонями, воздействовало на воду в стакане так, что она изменила свою жидкокристаллическую структуру. Это произошло, когда вы держали стакан обеими руками.

Убедились, что вы можете воздействовать на воду своей энергией? А ведь это естественное свойство, заложенное в вас от природы. Просто вы раньше по незнанию этим никогда не пользовались. Это свойство заложено в каждом человеке, и каждый человек способен управлять биологической энергией с самого момента своего появления на свет. Но человек, взрослея, попадает в энергетические капканы материального мира и забывает об этой своей врожденной способности. Надо просто заново вспомнить, как это делается, — и весь мир открыт перед вами.

Человеку надо знать энергетическую структуру своего тела и уметь ею пользоваться.

Глава 2

Энергетика человеческого тела

ИСЦЕЛЕНИЕ БЕЗ ЛЕКАРСТВ

Чтобы научиться управлять своей собственной энергией, от которой зависит здоровье, надо сначала получить представление о том, какова энергетическая структура человека, как она функционирует и как влияет на состояние нашего организма.

Современная медицина, при всем к ней уважении, часто подходит к человеку не как к сложной многоплановой энергоинформационной системе, не как к настоящему микрокосмосу, а как к примитивному механизму, которому можно помочь с зубилом и отверткой: винтик подвернул — и все в порядке.

Но человек — это не просто совокупность органов, где можно лишнее вырезать, недостающее пришить, возникшие сбои откорректировать лекарством. Тело человека — это колоссальной сложности конструкция, части которой существуют в строгой взаимосвязи. Нельзя воспринимать человека как набор не связанных меж собой компонентов. Иначе проблемы посыплются одна за другой: этот орган вылечили — а болезнь тут как тут, перекинулась на другой. Придумали антибиотики, начали с их помощью подавлять вирусные заболевания — а организм взял да и ответил на это снижением иммунитета. В самом деле: зачем ему иммунитет, зачем самому сопротивляться болезни, когда в него все равно извне поступают вещества, способные подавлять эту болезнь?

Отсюда, кстати, и СПИД — чума XX века. Ведь СПИД — это синдром иммунодефицита. Почему иммунитет становится дефицитом? Потому что в ходе тупиковой эволюции он попросту отмирает за «ненадобностью» — благодаря в том числе и победному шествию по планете антибиотиков и прочих лекарств.

Лекарственный кризис — так называют нынешнее состояние медицины многие специалисты. Не случайно сегодня даже сами медики все чаще обращаются к достижениям медицины восточной. Ведь восточная медицина воспринимает человека как единую энергетическую структуру, а не как механическое нагромождение органов. Человек, согласно восточной медицине, это энергетическая система, которая на уровне энергетики тесно связана со всем миром.

Мы с вами уже выяснили: человек — это не только тело. Но своя энергетика, разумеется, есть и у тела. Первый уровень управления процессами, происходящими в нашем теле, управления своим собственным здоровьем — это управление энергетическими потоками тела. Вы скоро убедитесь, что энергетические потоки, протекающие в теле, являются продолжением энергоинформационных структур, отвечающих за сознание, — и поэтому ими можно сознательно управлять.

У здорового человека энергетика тела и энергетика сознания находятся в гармонии. Всем известно, что в здоровом теле здоро-

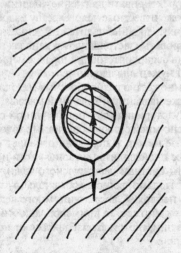

Рис. 8. Словно река, энергия Вселенной подпитывает потоки энергии человеческой сущности.

вый дух. Но можно сказать и иначе: без здорового духа нет здорового тела.

Древняя восточная медицина достигла больших успехов в деле воздействия на энергетику тела и доказала, что, корректируя потоки энергии, протекающие в человеческом теле, действительно можно влиять на здоровье человека, лечить болезни. И при этом не надо принимать лекарств или орудовать скальпелем.

В традиционной китайской медицине эту энергию называли энергией Чи, или Ци — отсюда гимнастика цигун. Йоги называют эту энергию праной — отсюда пранаяма, так называются особые дыхательные практики.

Согласно древним воззрениям, эта энергия циркулирует по особым каналам, которыми пронизано все человеческое тело. И все болезни человека связаны с нарушением циркуляции этой энергии, с ее избытком или недостатком. Значит, чтобы преодолеть болезнь, надо научиться корректировать эти потоки, возвращать им равновесие.

Как? Вот как раз этой цели и служит знаменитый японский точечный массаж и не менее знаменитое китайское иглоукалывание. Кстати, подобный метод существует и в русской народной медицине — это не что иное, как лечение пиявками, или, как его называют по-научному, гирудотерапия. И игла в руках китайского врача, и японский точечный массаж, и наша родная пиявка — это способы корректировать движение энергии. Воздействуя на определенные, тоже известные человечеству издревле, биологически активные точки, древние целители знали, что таким образом можно разблокировать «застрявшую» в каналах энергию, и тогда она начинает течь беспрепятственно и равномерно, именно в том объеме, который нужен для здоровья.

Существует множество разнообразных методов восточной медицины. Это и уже названный точечный массаж, и иглоукалывание, это и аурикулотерапия (лечение по ушной раковине, на которой расположено множество биоактивных точек), и суджок-терапия (корейский метод, в переводе означает «кисть—стопа», когда воздействие производится на зоны кисти и стопы, соответствующие разным органам человеческого тела). Для того чтобы лечиться этими методами, вовсе не обязательно ехать на Восток — специалистов, и неплохих, достаточно много сейчас и в России. И можно привести множество примеров, как эти методы возвращают людей к жизни, помогают избавиться от неизлечимых, казалось бы, болезней.

Восточная медицина и впрямь творит чудеса. Больные астмой после курса лечения забывают об ингаляторе, страдающие язвой желудка — о болях и диетах. Причем факт их излечения подтверждает и официальная медицина. В одной из клиник, где врачи пытаются совместить достижения современной западной медицины с древними восточными знаниями, был проведен эксперимент: больных, прошедших курс иглорефлексотерапии, потом подвергали самым современным методам обследования — ультразвуковому исследованию, рентгенографии, методам тепловидения и так далее. И медицинская техника подтвердила: да, у одного больного действительно исчезли камни в почках, у другого больного рассосалась язва желудка, у третьего прошел застарелый хронический бронхит.

Ну а чтобы убедиться, что восточные методы излечивают даже такое почти неизлечимое заболевание, как псориаз, техники не требуется, это и пациенты, и их родственники и знакомые видят собственными глазами.

Сегодня такой метод лечения, как рефлексотерапия, уже признан официальной медициной. Составлены многочисленные атласы энергетических каналов и биологически активных точек. Казалось бы, чего проще: все вместе бежим на прием к специалистам по восточной медицине, регулируем энергетику — и вперед, к здоровью!

Но... Как всегда, некстати возникает это маленькое «но», стоит нам только загореться надеждой и увидеть свет в конце туннеля. Вылеченные пациенты, бодрые и радостные поначалу, со временем сталкиваются с тем прискорбным фактом, что ходить на приемы к врачевателю им теперь придется до конца жизни. Они оказались в тяжкой зависимости от методов иглотерапии или точечного массажа, прибегать к которым им приходится чем дальше, тем все чаще и чаще. Коварная болезнь имеет обыкновение возвращаться. А если она не возвращается в прежнем виде, то на человека обрушиваются, как правило, какие-то другие напасти.

В чем же дело? Оказывается, в том, что, раз, и другой, и третий скорректировав энергию, текущую по каналам, ни игла, ни массаж не устраняют причину болезни, воздействуя лишь на следствие, которым и являются болезненные симптомы. Значит, **причина болезни лежит не в энергетических каналах, а где-то глубже. Где же именно?**

ЦЕНТРАЛЬНЫЙ ЭНЕРГЕТИЧЕСКИЙ ПОТОК

Мы уже говорили о том, что энергетика человеческого тела тесно связана с энергетикой его сознания. Одно без другого не существует, одно влияет на другое. И те энергетические каналы, с которыми имеет дело восточная медицина, вторичны по отношению к основному энергетическому потоку, который пронизывает человеческое тело и связывает его с тем, что называется сознанием.

Можно сравнить этот основной энергетический поток со стволом дерева, от которого отходят ветви — вторичные энергетические потоки. Если болен, или искривлен, или покрыт дуплами сам ствол, то мы можем, конечно, какое-то время пытаться выравнивать его, дергая за ветки, — но рано или поздно придем к тому, что лечить надо все же ствол.

Точно так же, воздействуя на энергетические каналы методами восточной медицины, можно лишь временно улучшить здоровье, но невозможно устранить причины болезни. Ибо причина — как раз в искажении основного потока энергии. Конечно, у этого искажения тоже есть свои причины, и об этом мы еще поговорим. Но если удается скорректировать этот самый основной поток, то автоматически нормализуется течение энергии по побочным энергетическим каналам. И только тогда наступает подлинное здоровье — и телесное, и душевное.

Люди в массе своей не знают законов жизни, законов существования сложной энергоинформационной структуры под названием «человек». А потому идут ложным путем: отравляют организм ненужными лекарствами, подвергаются сложным, болезненным и дорогостоящим врачебным процедурам. И не понимают, что это то же самое, что латать дыры на старом заношенном костюме, на скорую руку белыми нитками прихватывать прорехи, тогда как костюм требует полной перекройки и обновления.

Первооснова здоровья — здоровая энергетика. Людям, которым удалось понять это и стать энергетически чистыми, больше не нужны ни врачи, ни целители, ни экстрасенсы. Потому что они знают: наш источник здоровья — в нас самих.

А теперь вернемся к вопросу о том, что собой представляет основной энергетический поток. Разберемся в том, что говорит веками накопленное человеческое знание о природе энергетического потока, который и составляет сущность человека.

Этот поток состоит из двух потоков, которые текут в противоположных направлениях — один вверх, а другой вниз. Один поток идет из Земли, а второй — из Космоса. Именно эти два потока и формируют всю энергетику человека. Человек — это сочетание двух потоков, и этим все сказано!

Можно представить себе человека, его физическое тело и его энергетическую оболочку как бусинку, свободно висящую на двух проходящих сквозь нее вертикальных ниточках — потоках.

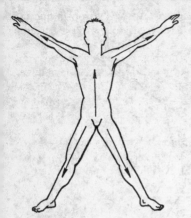 

Рис. 9. Здоровый человек немного похож на звезду — его центральные энергетические потоки легко и беспрепятственно разветвляются, циркулируя по всему телу.

Рис. 10. Если существует препятствие центральному потоку, то он искривляется и расходится по телу неравномерно. И человек заболевает.

Тут, правда, надо сделать одно уточнение: энергетические потоки проходят, конечно, не непосредственно в физическом теле человека, они проходят в тонкой энергетической структуре, которой пронизано тело. Поэтому анатомия человека о потоках и каналах энергии ничего вам не скажет — обнаружить их в физическом теле невооруженным глазом невозможно. Тем не менее каждый из них имеет свою «территорию»: идущий снизу вверх находится примерно на два пальца впереди позвоночника у мужчин и на четыре пальца — у женщин; поток же, идущий из Космоса, сверху вниз, расположен почти вплотную к позвоночнику.

Поток, идущий снизу, — это поток энергии Земли, энергии физического мира, который Земля посылает Космосу. Он поставляет энергию в основном для осуществления грубых, силовых взаимодействий человека с окружающим миром. Он проходит в центре энергетического существа человека и уходит в Космос.

Поток сверху поставляет энергию Космоса, космическую информацию, которая обеспечивает поддержание «божественной ис ры» сознания. Мы уже говорили о том, что человек способен получать информацию от энергоинформационного поля Вселенной. Это происходит как раз посредством текущего сверху вниз космического потока. Поток из Космоса тоже проходит по центру энергетического существа человека, не смешиваясь с потоком Земли, и уходит в Землю.

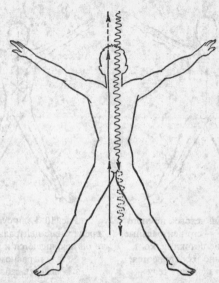

Рис. 11. Как цветок кувшинки одновременно пьет воду и дышит воздухом,
так и человек получает свою жизненную энергию из Космоса и Земли.

Благодаря взаимодействию этих потоков формируется энергетическая оболочка человека. **Ведь человеческий организм устро-
ен так, что способен улавливать энергию Земли и Космоса, перера-
батывать ее и приспосабливать для своих нужд.**

ЧАКРЫ — ЭНЕРГЕТИЧЕСКИЕ ЦЕНТРЫ ЧЕЛОВЕКА

Наше грубое физическое тело — это всего лишь «машина», призванная обеспечить существование мозга, сознания. Это
лишь материальный носитель для тонких энергоинформационых
структур. Поэтому потоки энергии направлены прежде всего на
обеспечение энергоинформационной структуры сознания. А энергетика тела связана с энергетикой сознания с помощью такого
важного элемента энергетической структуры человека, как чакры.

Представление о чакрах — энергетических центрах человека —
пришло к нам опять же с Востока. Чакры предназначены как раз
для того, чтобы преобразовывать энергии двух потоков, идущих
из Земли и из Космоса, в несколько иную форму, приемлемую для
человеческого существа. С их помощью эти довольно-таки жест-

кие излучения как бы смягчаются и видоизменяются для нужд человеческого существования.

Естественно, чакры расположены тоже не в плотном физическом теле, а в тонком энергетическом теле человека. Тем не менее каждая из них связана с определенными анатомическими областями, к которым она примыкает. Поэтому при повреждении чакр заболевают соответствующие им органы.

Именно в чакрах происходит накопление энергии, получаемой от двух разнонаправленных потоков. С помощью чакр эта энергия рассредоточивается по организму, по энергетической оболочке человеческого тела. Именно работа чакр и обеспечивает существование энергетической оболочки — своеобразного кокона вокруг человеческого тела. Той самой «бусинки», повисшей на двух потоках. Если оболочка мощная, сильная, ярко сияющая — человек здоров. А поскольку оболочку формируют чакры, то ясно, что здоровье человека и состояние его души зависит во многом, если не во всем, от того, хорошо ли работают его чакры.

В здоровом состоянии каждая чакра — это небольшой энергетический вихрь, к тому же светящийся и сияющий. Если чакра поражена, она тускнеет и закрывается, как увядший цветок. Это ясно различимо на цветных Кирлиан-фотографиях.

У человека семь основных чакр. Расположены они на протяжении двух центральных энергетических потоков, вдоль позвоночника, в строго отведенном месте. Каждая чакра имеет свое название (снизу вверх): первая чакра — Муладхара, вторая — Свадхистана, третья — Манипура, четвертая — Анахата, пятая — Вишудха, шестая — Аджна, седьмая — Сахасрара.

Обратите внимание: чакр — семь. И это не случайно. Если вдуматься, то можно обнаружить в этом признак той красоты и

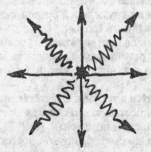

Рис. 12. Чакры — это энергетические вихри,
соединяющие нас со Вселенной.

гармонии, по законам которых существует и природа, и человек. Ведь чакры по частоте своего излучения соответствуют семи цветам радуги и семи нотам! Значит, человек — это радуга, человек — это музыка! Значит, нам самой природой предназначено стремиться к тому, чтобы звучать гармонично и сиять ярким и чистым светом. Для этого надо только настроить наш музыкальный инструмент, основательно покореженный жизнью, и очистить краски нашей палитры, загрязненные окружающей действительностью.

А теперь о каждой чакре — подробно.

Муладхара — так называемый копчиковый центр — расположена в области промежности. Это центр накопления энергии, устойчивости в жизни, центр, отвечающий за выживание. Соответствует красному цвету и ноте «до».

Свадхистана расположена в области лобка. Отвечает за накопление сексуальной энергии, за управление энергией, необходимой человеку для жизни. Соответствует оранжевому цвету и ноте «ре».

Манипура находится в области солнечного сплетения, чуть выше пупка. Отвечает за жизненные силы. Соответствует желтому цвету и ноте «ми».

Анахата расположена на уровне сердца, посередине груди. Отвечает за эмоциональность, общение, способность отдавать и принимать любовь. Это чакра обмена энергией, энергетического равновесия, ведь именно через Анахату оба потока частично выходят наружу, но баланс энергии при этом не теряется, потому что Анахата еще и собирает из внешней среды свободную энергию, рассеянную в пространстве. Именно так формируется наружная оболочка энергетической сущности человека. Анахата соответствует зеленому цвету и ноте «фа».

. Вишудха расположена у основания горла. Это — центр воли, центр коммуникации с окружающей средой и людьми. Соответствует голубому цвету и ноте «соль».

Аджна расположена в центре мозга на уровне межбровья, это и есть знаменитый «третий глаз». Отвечает за мощь интеллекта, за способность воплощать идеи в жизнь. Соответствует синему цвету и ноте «ля».

Сахасрара находится в темени. Ответственна за духовный аспект человеческого существа, за его связь со Вселенной. Соответствует фиолетовому цвету и ноте «си».

Помимо того, что чакры формируют энергетическую оболочку, это именно те структуры, которыми человек непроизвольно воздействует на внешний мир, на других людей и которыми он

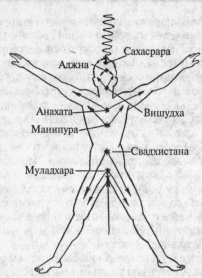

Рис. 13. Чакры стремительно перераспределяют энергию Вселенной
по телу человека.

воспринимает любое воздействие извне. Ведь человек — энергоинформационная структура, которая тесно связана с окружающим
миром, и поэтому он чутко откликается на все внешние энергетические воздействия.

Вот мы и подошли к механизму возникновения многих наших
болезней и патологических состояний. Суть его в том, что **патологическое влияние окружающего материального мира, посторонняя
энергетика, которая поступает от других людей, от социума, от материального мира вообще, «засоряет» чакры, мешает им работать
нормально. А посредством чакр губительно воздействует и на весь
организм.**

ПАТОЛОГИЧЕСКИЕ СВЯЗИ
В ЧЕЛОВЕЧЕСКОМ ОБЩЕСТВЕ

Мы постоянно посылаем во внешний мир, другим людям осознанные и неосознанные энергетические импульсы. Мы
несем в себе какие-то мысли, желания, записанные в мозгу программы поведения, и все это непроизвольно воздействует на окружающих именно посредством чакр. Мы завидуем, злимся, раздра-

жаемся, обижаемся, ругаем или жалеем себя и других, гневаемся или вспыхиваем в ответ на чей-то гнев. И все эти импульсы имеют вполне конкретную энергетическую основу, свою частоту и направленность излучения. Все они вырываются из одних чакр одних людей и воспринимаются другими чакрами других людей. Вот так и возникают патологические энергетические связи между людьми, как бы энергетические жгуты — привязки, по которым наша энергетика перетекает к другим людям. Где ж тут людям, так тесно друг с другом связанным, чувствовать себя свободными?

В том, что энергией можно воздействовать на других людей и подвергаться этим воздействиям со стороны, каждый из нас не раз убеждался на собственном опыте, даже не зная ничего о биоэнергетике. Вспомните, как вы неожиданно для себя оборачивались, почувствовав чей-то взгляд, или кто-то оборачивался под прицелом ваших глаз. Чем же человек воздействует в таком случае? Неужели только взглядом? Нет, а еще и той энергией, которая вырывается из чакральных областей.

Способностью к энергетическим воздействиям обладают абсолютно все люди. А в минуты эмоциональных всплесков сила этих воздействий становится просто колоссальной, возрастая в десятки раз. В одном небольшом южном городке произошла весьма любопытная история, хотя и на редкость типичная. Мои родственники — местные жители, муж и жена, жили дружно и совсем неплохо... до лета. Но когда наступало лето и в южном городке начинался курортный сезон, в муже просыпались природные инстинкты и он начинал гоняться по улицам за молодыми симпатичными курортницами. Однажды он увлеченно поспешал за очередной своей жертвой, не зная, что жена как раз в это время вышла в магазин и случайно стала свидетельницей этой сцены (город-то маленький). Она спряталась за деревом и стала с понятным интересом наблюдать за поведением своего мужа. В это время преследуемая им барышня вошла в магазин, он, разумеется, ринулся за ней. А чтобы попасть в этот магазин, надо было преодолеть несколько ступенек. И вот стоявшая за деревом жена в сердцах подумала: «Господи, вот бы он навернулся на этих ступеньках!» И что же? Муж спотыкается и с разбегу плашмя падает на ступеньки.

Удалось ли ему прийти в себя до такой степени, чтобы продолжить преследование, неизвестно. Зато его жена с тех пор уверилась, что обладает просто недюжинными телепатическими способностями (хотя на самом деле на такое способен любой).

Каким же образом наши чакры воздействуют на других людей — да так, что могут вызывать и серьезнейшие болезни, и даже буквально валить человека с ног?

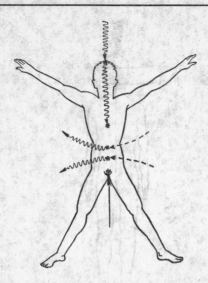

Рис. 14. Трансформированная энергия Космоса освобождается через нижние чакры — но они охотно поглощают уже трансформированную энергию Земли.

Происходит это благодаря следующим особенностям деятельности чакр. Чакры Свадхистана и Манипура собирают рассеянную во внешней среде энергию Земли и освобождают энергию Космоса, трансформированную сознанием человека. Это своеобразные окна, через которые высвобождаются энергетические потоки сознания. Поэтому эти две чакры позволяют с помощью энергии Космоса сознательно воздействовать на явления окружающей среды. Этим пользуются, например, маги и предсказатели, поэтому Свадхистана и Манипура — именно их чакры. Рассеянная энергия, сочащаяся из этих чакр, способна даже «кодировать» окружающих, то есть навязывать им чуждые мысли, идеи, программы. Именно поэтому в формировании патологических связей в человеческом обществе особенно велика роль этих двух чакр.

Манипура и Свадхистана формируют энергетический слой человеческого существа, имеющий отношение к его физическому телу, или, скорее, к управлению им при помощи сознания.

А вот чакры Вишудха и Аджна освобождают энергию Земли, идущую снизу вверх, и поглощают энергию Космоса. Поэтому через эти две чакры с помощью энергии Земли можно осущест-

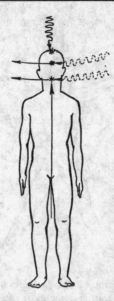

Рис. 15. Трансформированная энергия Земли освобождается через верхние чакры — но они охотно поглощают уже трансформированную энергию Космоса.

влять грубые энергетические воздействия — воздействия с помощью эмоций. Не случайно люди, у которых эти чакры работают хорошо, — это гипнотизеры, политики, актеры. Эти чакры формируют слой энергетического существа человека, имеющий отношение к его сознанию. То есть они воздействуют на сознание, обеспечивая ему энергетическую подпитку, каковой и являются эмоции, мотивы поведения.

В человеческом сообществе грубый выброс энергии именно из этих чакр формирует такие негативные феномены, как порча, сглаз и вампиризм.

Одна из моих знакомых, женщина 42 лет, обратилась ко мне с жалобами на дикие головные боли и приступы гипертонической болезни, которые не могло снять ни одно лекарство. Врачи не находили объяснения болезни, да и сама она была в полном недоумении — ведь раньше никогда на здоровье не жаловалась, а тут вдруг ни с того ни с сего... Посмотрев ее поле, я обнаружил пробои в ее энергетической оболочке — негативная энергетика «торчала» из нее во все стороны, как бревна, которыми человека проткнули насквозь. Выяснилось, что все неприятности со здоровьем начались у нее после того, как она провела отпуск на юге вместе с подругой. Подруга, по ее словам, — дама крайне энергичная, большая любительница давать советы и вмешиваться в чужую жизнь со своими категоричными суждениями. Нотации подруги и ее постоянные «добрые» советы сначала сильно раздражали мою пациентку, а потом у нее начались головные боли. С тех пор каждое ее общение с подругой заканчивалось резким скачком давления и головокружением почти до потери сознания.

Диагноз прост: самый элементарный сглаз. Сглаз — это, конечно, народное название, за которым скрывается не что иное, как энергоинформационное поражение, причины и способы противодействия которому мы будем рассматривать далее. Подруга, оказывается, сильно завидовала моей знакомой — ее удавшейся личной жизни, привлекательной внешности. Но скрывала зависть за поучениями и наставлениями. А сама в это время выбрасывала через свои верхние чакры комья негативной энергии. Они и пробили поле моей пациентки.

Устранив эти пробои, удалось нормализовать и состояние здоровья женщины. Сейчас она научилась управлять своей энергией и защищаться от негативных воздействий.

Итак, чакры разных людей все время взаимодействуют друг с другом, так сказать, в перекрестном порядке. Сознание одного человека посредством его верхних чакр воздействует на нижние чакры другого человека — ведь верхние чакры высвобождают энергию Земли, которая несет в себе его эмоции, и они улавливаются нижними чакрами других людей. И наоборот, мысли, высвобождаясь через нижние чакры, воздействуют на верхние чакры окружающих. Вот и получается такая прочная связь, являющаяся причиной болезней, которые не могут вылечить врачи, а также необъяснимых бед и несчастий.

Мальчика 12 лет привела к нам его мама, которая уже отчаялась водить его к врачам. Медицина оказалась бессильна против того потока болезней, который вдруг обрушился на ребенка: астма, аллергия, псориаз, плюс резкое ухудшение зрения. У малыша, как оказалось, была полностью сорвана энергетическая оболочка, как будто его кто-то долго и тщательно «обглады ал».

Спрашиваю: кто еще живет с вами? Оказывается, древняя 90-летняя прабабушка, которая уже почти выжила из ума, но почему-то постоянно придирается к ребенку, просто житья ему не дает, а он очень обижается.

Все оказалось очень просто: прабабушка, уже не имеющая собственных энергетических ресурсов для жизни, начала черпать энер-

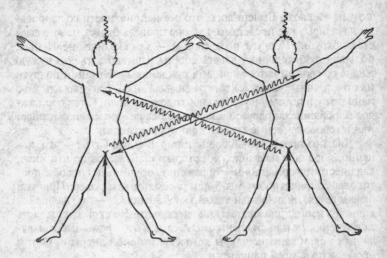

Рис. 16. Люди оплетают друг друга потоками собственной энергетики,
как паутиной.

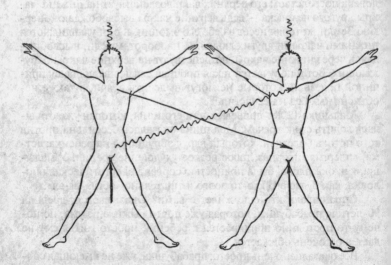

Рис. 17. Вот правый человек полностью подчинен левому.

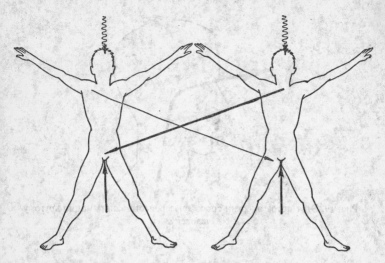

Рис. 18. Прабабка отдавала в тысячу раз меньше, чем получала от ребенка.

гетику у правнука, то есть попросту вампирила. Для этого ей необходимо было наладить патологическую привязку к энергетической оболочке ребенка. Конечно, прабабка все это делала неосознанно, ведь она, как и большинство людей, ничего не знала о том, как именно действует биоэнергия. Но грубый выброс ее энергии, насыщенной отрицательными эмоциями по отношению к мальчику, выплескиваясь из ее верхних чакр, попадал прямиком в нижние чакры ребенка и искажал нормальное течение его энергетики. Его же энергия по энергетическому жгуту постоянно перетекала к прабабке, обеспечивая жизнедеятельность ее организма.

После того как мальчика отселили от прабабушки, здоровье его нормализовалось. А мама вспомнила, что и раньше, когда мальчика летом увозили на дачу к другой бабушке, куда только исчезали все болезни! Но осенью все начиналось заново.

Человек, как мы помним, это радуга, это гамма. Когда хоть одна чакра поражена, не получается гармоничного звучания, не возникает радуги. Как известно, если все цвета радуги слить в один, получится белый цвет. То есть здоровые, нормально работающие чакры в сочетании должны давать чистое яркое белое свечение энергетической оболочки. Если нет хоть одного цвета — этого свечения не получается. Человек как бы тускнеет, в нем нет внутреннего сияния, его энергетическая оболочка становится слабой и хилой — человек болеет.

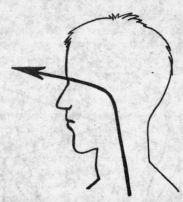

Рис. 19. Этот поток энергии способен перенести ваши эмоции другому
человеку.

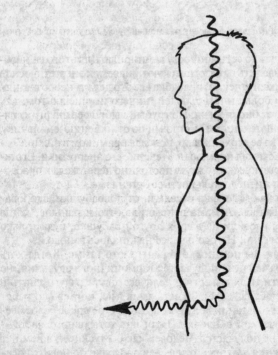

Рис. 20. А этот поток позволяет программировать другого на действие.

Почему мы в обычном состоянии не замечаем чакральных взаимодействий людей друг с другом? Объяснение простое: человек не только пассивно воспринимает потоки, он и сам их генерирует, и мы просто не замечаем основных, самых важных влияний, как не замечаем пламени свечи на ярком солнечном свету. Но если мы заблудимся в этих эманациях (истечениях) и «выхлопах» собственного физического тела и окружающих людей, то неизбежно потеряем ориентацию. Ведь только потоки Земли и Космоса постоянны. А потоки, принадлежащие к человеческой сфере, все время меняются. И именно от них часто зависит наша судьба и вообще все жизненные проявления.

Если вы все же сомневаетесь, что взаимодействие чакр имеет такое огромное значение и что оно так сильно, можете проделать следующий эксперимент. Но учтите: эта техника не предназначена для постоянного применения. Попробуйте вызвать в себе ощущение потока энергии, начинающегося сзади у основания шеи и вырывающегося наружу через переносицу. Попробуйте при помощи взгляда сфокусировать этот поток между лопатками какого-нибудь ничего не подозревающего человека. Вы убедитесь, что он обязательно вскоре почувствует беспокойство и обернется.

Если вы попробуете поэкспериментировать с потоком, рождающимся у вас между лопатками и выходящим наружу в точке немного ниже пупка, то сможете заставить движущегося человека повернуть в желательном для вас направлении (или предсказать, куда он собирается повернуть, что с точки зрения энергетической сущности, неподвластной причинно-следственным связям, одно и то же). Вам удастся это сделать с первых же попыток.

Понимаете, что это все значит? То, что **мы постоянно находимся в самой гуще «супа» из неосознанных импульсов и энергетических выбросов, исходящих от окружающих. Они и порождают патологические связи, вызывая болезни и калеча нашу энергетическую сущность. От этих связей надо сознательно освобождаться.**

Глава 3

Патологические связи обществ и психика толпы

НЕЗАПЯТНАННАЯ ПРИРОДА — НАШ ПОТЕРЯННЫЙ РАЙ

Энергетическая система человека изначально не была приспособлена к существованию в такой перенасыщенной среде, какой является наш социум. Для того чтобы нормально жить и развиваться, человеку всегда нужна была чистая энергетика природы, а не те канализационные энергетические стоки, которыми сегодня загрязнено и опутано с ног до головы современное общество.

Вспомним историю Адама и Евы. Ведь пасторальный Эдем — это именно та идеальная среда обитания, которая изначально была предназначена для человечества. Модель человеческой жизни проектировалась совсем не в том варианте, который мы в итоге получили. Это должна была быть жизнь среди чистой природы, с чистыми помыслами и чистыми чувствами.

Но человек сам выбрал другой путь. А раз сам выбрал, раз пренебрег предоставленными «тепличными» условиями — изволь быть сильным, иначе не выживешь на выбранном пути.

Но память о райской идиллии живет в человеке, в каждой клеточке его тела, до сих пор. Не случайно многих из нас периодически так отчаянно тянет уехать из города куда-нибудь на природу, туда, где нет городской толчеи, где тишину нарушает только пение птиц и радует глаз зеленая листва, а легкие подпитывает чистый воздух.

И если человек еще не окончательно исковеркан городом, не совсем испорчен цивилизацией, то именно в контакте с природой, с землей, с прекрасными пейзажами, с растениями и животными, он чувствует себя наиболее комфортно, набирается сил и, как говорят, отдыхает душой. Потому что именно на лоне природы наш энергообмен с окружающей средой становится наиболее гармоничным, не искаженным чуждыми внедрениями, именно там мы получаем мощную энергетическую подпитку.

А от правильной энергетической подпитки зависят как побуждения человека, так и способность его тратить энергию на себя — на поддержание своего тела в норме, в здоровом состоянии. Если же человек не получает вовремя нормальной, правильной энергетической подпитки, то он теряет весь свой энергетический потенциал, таким образом обрекая себя на болезнь и страдания.

Наверняка и с вами такое бывало: вот вы после выходных вернулись с дачи, где зарядились бодростью, здоровьем, хорошим настроением, вволю накопавшись в земле, наслушавшись птиц, насладившись запахом цветов, тишиной и чистым воздухом. Вы, может быть, и не догадываетесь, что там вы просто получали нормальную энергетическую подпитку от внешней среды, от Космоса и от Земли, и ваша энергетика не была искажена посторонними влияниями — просто потому, что вокруг не было ни души.

Но вот утром в понедельник вы, еще в хорошем настроении, садитесь в переполненный вагон метро. И когда всего лишь через двадцать минут вы выходите из этого вагона, вас не узнать: почему-то потускнел взгляд, ссутулились плечи, опустились уголки губ.

Что же случилось с вами в этом вагоне? Да вроде бы ничего особенного. Но кто-то вас слегка задел, проходя мимо, и в вас почему-то вспыхнуло раздражение. Потом вы случайно встретили чей-то колючий недобрый взгляд, и почему-то он вас как будто пронзил стрелой. Вы внутренне вздрогнули и опустили глаза (почему — вы и сами не поняли: разве вы боитесь этого человека, разве вы ему что-то должны?). В довершение всего вас толкнули при выходе — вроде бы и нечаянно, но настроение у вас уже не то. Вы приходите на работу раздраженным, с головной болью, с нежеланием что-либо делать и со жгучей мечтой о следующих выходных, а еще лучше — об отпуске.

Случилось вот что: ваш энергетический потенциал растащили в разные стороны люди, с которыми вам пришлось столкнуться в метро. И энергия потекла по искаженному руслу. Нормальный канал подпитки начал работать с перебоями.

В обществе окружающая среда всегда агрессивна. В наше время, к сожалению, очень много озлобленных и завистливых людей. А с доброжелательными и светлыми нашими согражданами мы встречаемся не так часто (такое впечатление, что в транспорте они не ездят и по магазинам не ходят, — или они просто менее заметны в толпе?).

Кто-то неодобрительно взглянул на ваше загорелое лицо («Ишь, бездельник, работал бы лучше, чем на солнце валяться»), кто-то осудил за дорогой костюм («У-у, богачи проклятые!»), у кого-то вызвали раздражение ваш высокий (низкий) рост, ваши длинные (короткие) волосы, модные ботинки (расхлябанные сандалии) и т. д. На всех никогда не угодишь, а люди забыли заповедь: «Не судите, да не судимы будете» — и вот судят, судят и судят. И даже не подозревают, что их суждения — это вовсе не что-то эфемерное и невесомое — это вполне материальные энергетические конструкции, которые начинают самостоятельно существовать в пространстве, впечатываясь в тонкие энергетические оболочки окружающих людей. Получается целый энергетический клубок из патологических связей.

Вы не раз, наверное, замечали, что в метро или в набитой пригородной электричке человек, находящийся по соседству, воспринимается совершенно иначе, нежели на незапятнанной природе. С одной стороны, в толкучке сосед чувствуется намного острее, а с другой стороны, он вызывает намного меньше положительных эмоций. На природе, наоборот, человек ощущается слабее, но как бы глубже и позитивнее.

Например, вы едете в электричке, и угрюмый сосед в ватнике и с рюкзаком все время шмыгает носом, сопит и толкает вас локтем. Вы раздражаетесь и уже не способны увидеть в этом человеке ничего, кроме грязного ватника и толкающего вас локтя. Где ж тут вглядеться попутчику в глаза и почувствовать, какие душевные переживания и, может быть, самые благородные черты характера скрываются за этой неказистой внешностью.

Но представьте себе, что вы сидите где-то на берегу тихой речки, под березкой, вокруг никого, и только в отдалении какой-то человек размеренно косит траву. Вам и невдомек, что это, возможно, тот же самый противный мужик, который сидел рядом с вами в электричке. Но теперь, издали, он не вызывает у вас ни капли раздражения. Картина, открывшаяся вашему взору, представляется вам едва ли не идиллической, и человек с косой вызывает только положительные эмоции. Теперь, возможно, вам даже ка-

Рис. 21. В тесноте энергия Вселенной перемалывается полями отдельных людей и становится кривым зеркалом, искажающим все и вся.

жется, что он должен обладать самыми лучшими человеческими качествами и самой чистой душой.

И ведь вполне вероятно, что так оно и есть — просто именно сейчас вы увидели истинную сущность этого человека, когда ваше восприятие не искажено чужим энергетическим влиянием. Ваш собственный энергетический поток сейчас не искажен той суетой и всеобщим раздражением, которые охватили вас в поезде. Там вы и увидели не истинное лицо человека, а его отражение в «кривом зеркале» собственной искаженной энергетической структуры. Да и ваш сосед в тот момент представал не в истинной своей сущности, он тоже был искажен энергетикой окружающих. Может быть, как раз поэтому говорят, что лицом к лицу лица не увидать?

В обществе нас постоянно окружают обрывки посторонних программ, искажающих наше сознание. Но самое худшее — это то, что обрывки ненужных программ формируют векторы целенаправленных излучений энергоинформационных паразитов, развившихся из хаотических энергетических структур.

КАК МЫ ПРЕВРАЩАЕМСЯ В ЗОМБИ

Почему же так искажается наше восприятие в толпе, а на чистой природе оно становится совсем другим? Да и сам человек там становится другим — как-то чище, светлее, лучше. Тому есть причина. Приведем такую аналогию. Сколько бы людей ни дышало свежим воздухом в лесу, в поле, у моря — воздух все равно остается свежим, чистым, его свежесть все время самовосстанавливается. Но если большое количество людей находится в замкнутом непроветриваемом помещении, то чистого воздуха там становится все меньше и меньше, потом не остается совсем, и люди начинают вдыхать те выхлопы, которые уже многократно прошли через чужие легкие и стали в итоге чистым ядом. То же самое происходит в толпе и с человеческой энергетикой.

Как мы уже говорили в предыдущей главе, нормальное поле человеческого организма складывается из потоков Земли и Космоса, которые трансформируются собственной энергетической структурой человека. При скоплении народа множественные энергетические выбросы большого числа людей образуют тот же самый отравленный воздух — то есть отравленную энергетику, которая формирует некую новую одушевленную энергетическую структуру. Эта новая энергетическая структура начинает жить самостоятельной жизнью, и уже она влияет на людей, определяет их реакции, поступки, особенности поведения.

Эта одушевленная энергетическая структура, порожденная скоплением людей, начинает использовать человека в своих, только ей ведомых целях. (Например, есть сто человек, охваченных единым желанием. Их суммарная энергетика легко подчинит себе еще десять новых человек, и несмотря на то, что другие десять по каким-либо причинам отпали, структура все равно живет излучением ста человек. Постепенно люди, начавшие процесс, отключаются от структуры, но она все равно живет, подчиняя себе все новых членов.) Энергоинформационный паразит вышибает из людей энергию, требующуюся для собственного существования. Так возникают военные истерии и революции. Отдельный человек в этой ситуации неизбежно проигрывает — ведь он теряет самого себя, перестает принадлежать себе, быть хозяином своего поведения. Он становится только винтиком мощной энергетической машины, которая тянет его за собой вопреки его воле.

С точки зрения биоэнергетики, механизм этого явления прост. Как вы уже знаете, нижние чакры выпускают наружу энергию Космоса, которая, пройдя сквозь верхние чакры человека и вобрав в себя активные компоненты его сознания, становится способной программировать других людей. В верхних чакрах космический поток заряжается элементами сознательных кодов человека.

То есть все, о чем человек мыслит, идет от верхних чакр вниз, а потом через нижние чакры неизбежно просачивается в окружающую среду и, просочившись, воздействует на подсознание других

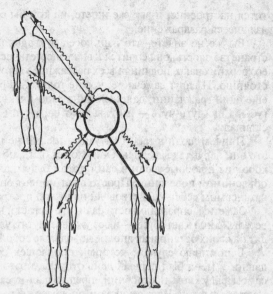

Рис. 22. Энергоинформационный паразит, похожий на медузу,
держит на поводках тысячи и тысячи людей, получая от одних — программы,
от других — энергию Земли и используя в своих целях всех без исключения.

людей. Вот так и происходит загрязнение окружающей энергетики и поля других, находящихся поблизости, людей постоянно про-
сачивающимися наружу чужими мыслями и программами.

Верхние же чакры отдают наружу энергию Земли, которая уже
заряжена эмоциями человека. То есть через верхние чакры выходят наружу разнообразные желания, беспокойство, гнев и так далее. Так поле загрязняется эмоциональной информацией, которая не может не воздействовать на окружающих.

Так и происходит патологическое замыкание энергетики в
человеческом обществе — когда нарушается равномерное течение энергии через человеческий организм от Земли к Космосу,
от Космоса к Земле, а энергетика только циркулирует от одних
людей к другим и обратно, заражая и загрязняя их поля чужими
программами.

Например, человека только что отчитал начальник, и он едет
после работы домой в крайне злом и раздраженном состоянии.
И вас угораздило случайно оказаться в переполненном автобусе
рядом с таким человеком. Вы можете даже не заметить его, не обратить на него внимания, но у вас вдруг неизвестно почему пор-

тится настроение, и вы уже ищете, на ком бы сорвать откуда-то
взявшееся раздражение.

Вы же не знаете, что ваш сосед буквально излучает в пространство злость, она сочится в виде энергетических испульсов из
его верхних чакр, подчиняя всех пассажиров автобуса этому же состоянию. И вдруг замечаете, что не только вы раздражены, но и
еще один гражданин, да и женщина рядом как-то гневно кривит
губы. Еще чуть-чуть — и буквально на пустом месте возникает
скандал.

Причем люди в такой ситуации и сами не понимают, с чего
это они вдруг так завелись. Они, может быть, по сути своей очень
хорошие и добрые люди и сами потом будут каяться в своем не-
объяснимом поведении. Просто в тот момент они не были хозяе-
вами самим себе — действовали по чужой программе.

Заметим, справедливости ради, что бывает и наоборот: два-три
веселых лица в автобусе — и вот уже все шутят, улыбаются и выходят на своих остановках вполне довольные собой и попутчиками.

Вспоминаю случай, который произошел со мной давным-
давно. У меня был первый день отпуска, поэтому я находился в
самом радужном настроении, предвкушал поездку к любимому
месту отдыха на Черноморском побережье Крыма под названием Новый Свет, мысленно уже лежал на пляже и дышал мор-
ским воздухом, поедая спелые персики. Но один мой коллега
попросил меня зайти на минутку по какому-то делу к нему в
отдел. Я зашел. А там царит напряженная деловая атмосфера.
Отдел занят созданием новых рабочих мест, и все сотрудники
трудятся не поднимая головы, в воздухе буквально витают свежие идеи и новые перспективы.

Пробыл я там каких-то несколько минут. Ни с кем не общался.
Никто со мной не делился своими рабочими планами. Но что со
мной случилось? Где они, мечты об отпуске? Отпуск почему-то меня больше не волновал. И я, к своему удивлению, вместо того чтобы собирать чемодан, засел за составление перспективного плана
отчета — идеи буквально сами собой так и посыпались в голову.

Серьезно уже занимаясь биоэнергетикой, я, конечно, понял,
что со мной произошло: меня попросту запрограммировало излучение нижних чакр сотрудников отдела, куда я зашел к своему
приятелю. Они ведь все, как один, напряженно думали о проекте
нового дела. Конечно, когда мысли стольких людей движутся в
одном русле, их воздействие становится непреодолимо сильным.
Вот это и заставило мои чувственные мысли повернуться в совершенно ином для меня направлении, противоположном тому, что
было еще пять минут назад.

Так и происходит загрязнение поля человека чужими мыслями и программами, чужими эмоциями и настроениями. Это, если хотите, один из вариантов зомбирования, ведь зомби — это не что иное, как существо, живущее по чужим программам, что называется — чужим умом, совершающее поступки, продиктованные чужой волей.

Смотрите, что получается, — мне лично это напоминает сцепление друг с другом модулей конструктора Лего, или батареек в радиоприемнике. Люди создают единую конструкцию, общее поле, заряжаясь общими идеями, мыслями, чувствами и желаниями. И большинство уже не могут разделить, где мое, а где чужое.

Представьте себе: вот три человека, которые работают вместе в одном кабинете. Первый очень голоден. Его желание пообедать настолько сильно, что оно в виде энергетического выплеска прорывается из нижних чакр и воспринимается верхними чакрами второго человека, который хоть и любит вкусно поесть, но в данный момент не голоден. Но так как идея еды ему очень близка, то его чакры с радостью улавливают эту информацию — и вот он, поймав в пространстве (конечно, неосознанно, на уровне энергетики) знакомый и приятный сигнал о том, что неплохо бы покушать, тоже начинает испытывать симптомы голода. Поток от его нижних чакр тоже подключается к оформлению этой программы.

Импульс усиливается — ведь он теперь идет уже от двух людей, каждый из которых к тому же активизирует чувство голода у другого, — и вся эта уже удвоенная энергетика обрушивается на третьего человека, который вообще сидит на диете и решил устроить себе разгрузочный день. В нем тоже возникает сильное и беспричинное на первый взгляд желание плотно пообедать, и это уже вызывает у них эмоции беспокойства: «С чего это вдруг меня в буфет потянуло, я же решил — диета и только диета...»

Эта эмоция беспокойства оформляется уже в виде жесткого императивного потока из верхних чакр, который, в свою очередь, воздействует на нижние центры двух первых людей.

В результате первый человек за счет усиления сигналов двумя другими чувствует уже просто опустошающий голод и сильное раздражение. Он запускает весь каскад реакций вновь, процесс снова идет по кругу, еще более усиливаясь, и так без конца.

В итоге все трое, при этом злясь и раздражаясь непонятно на что, дружно бегут в столовую и наедаются там до отвала. При этом второй человек испытывает легкое недоумение («И с чего это я так наелся?»), а третий просто впадает в отчаяние, ругает себя за безволие и слабохарактерность и вздыхает: «Прощай, моя талия». Ему и невдомек знать, что его просто сбили с его собственного информационного потока, что сила чужого программирования оказалась мощнее, чем программа, заданная себе самому.

Любое общество всегда в той или иной степени подобно толпе.

Существует такое понятие — «психология толпы». Толпа всегда более агрессивна, чем отдельные составляющие ее люди, она всегда легко поддается эмоциям, она не способна трезво оценивать ситуацию. Толпа никогда не рассуждает, и поэтому ее легко подтолкнуть к каким-то массовым акциям — протесту, осуждению, да и просто к бунту. Ее ничего не стоит поднять на бой, на баррикады. Этим свойством толпы всегда пользовались и пользуются многочисленные рвущиеся к власти и уже властвующие вожди, политики, «горланы-главари». Они научились запросто поворачивать толпу в нужную им сторону, потянув ее за «ниточки» эмоций, слегка надавив на больные места...

В толпе нет индивидуальностей, а есть только многоголовое, но при этом безмозглое существо, энергетический монстр, действующий «по заявкам» расчетливых «запевал».

Как это ни странно, но даже с очень неглупыми людьми, бывает, случаются такие необъяснимые на первый взгляд вещи: оказавшись, например, на митинге, они вдруг, поддавшись всеобщему настрою, вместе со всеми начинают скандировать: «Мы требуем!.. Мы протестуем!» Потом, оставшись в одиночестве и слегка придя в себя, такой человек вдруг в ужасе понимает, что совершенно не представляет, кто такие эти «мы», от имени которых он так решительно требовал и протестовал. Ведь у него есть его личное «я» — и вот этому личному «я» как раз не хочется ни требовать, ни протестовать.

Многим известно, что такое «стадное чувство». Это когда, увидев бегущих людей, проходящий мимо по своим делам человек вдруг неосознанно ни с того ни с сего присоединяется к ним. Это означает все то же: он попадает под воздействие чужой программы и в его подсознании запечатлевается примерно следующее: все бегут — значит, и мне надо. Были случаи, когда человек в таком состоянии, не успев опомниться, вскакивал в совершенно ненужный ему поезд, а потом грыз локти, не зная, как теперь добраться до дома. А во времена всеобщих очередей (о которых мы все радостно забыли, но которые, увы, похоже, возвращаются) не раз происходили ситуации, когда люди стояли часами в очереди, чтобы купить абсолютно ненужные им вещи, только потому, что «все брали».

Психология толпы, подчинение энергетике большого количества людей — прямая дорога к болезням, развитию злобы, негативизма, а также к ложным стремлениям, к бессмысленному времяпрепровождению и еще к тысяче человеческих несчастий. Схема развития болезни в случае, если вы поддаетесь чужому программированию, очень проста. На эту удочку, например, часто попадаются пожилые люди. Например, кто-то усиленно внушает такому далеко уже не молодому человеку, что в правительстве одни воры. У него не было возможности убедиться в этом лично, но он почему-то верит на слово сказавшему это. Верит — а вернее, вынужден верить, — потому что его сознательно закодировали, запрограммировали. А делалось это так: из нижних чакр внушающего человека в верхние чакры «обрабатываемого» гражданина забрасывалась эта гипнотизирующая информация. Полученная информация встречает у старика эмоциональный отклик, эти отрицательные эмоции начинают не только выплескиваться на других людей уже через его верхние чакры, но еще и искажать нормальный энергетический поток его собственного организма. Он, поддавшись внушению, начинает нервничать, злиться — и получает инфаркт.

А ведь у человека, который внушил ему это, были свои весьма корыстные цели. Этот хитрый «говорун» и «оратор» на то и рассчитывал, чтобы подцепить как можно больше людей на удочку их обиды и недовольства жизнью. Ему только и надо поймать человека в сети, чтобы можно было им манипулировать в своих политических, предвыборных целях. И вот несчастный старик лежит в больнице, а внушивший ему черные мысли человек уже победно восседает в депутатском кресле.

Вот еще пример: вам нахамили в транспорте. Вы ответили тем же, то есть нагрубили в ответ. Что вы сделали? Правильно, опять сработали по чужой программе. Хаму только и нужно было вызвать вашу злость, сподвигнуть вас на выплеск эмоций, чтобы «покушать» вашей энергетики. И вы послушно «накормили» хама, сделали то, чего он от вас и ждал. Он подчинил вас своему влиянию. А вы покорно поддались, тем самым признав его значимость, его способность влиять на людей, вызывать у них эмоции.

Привыкнув отвечать хамством на хамство, вы в свою очередь таким же образом «заводите» эмоции других людей. И сами не понимаете, почему вы все время ввязываетесь в какие-то склоки, почему на вашем пути встречаются одни хамы и грубияны, почему вам вечно приходится с кем-нибудь ругаться? Да потому, что уже вы сами, будучи зараженным чужой хамской энергетикой, усиливаете этот импульс и запускаете по кругу новый каскад реакций, начинаете выплескивать сидящий в вас заряд в окружающее пространство. А в это время на уровне сознания у вас формируется четкая программа: все люди — хамы. И уже эта программа так и лезет из ваших нижних чакр, заставляя окружающих в страхе разбегаться, потому что они чувствуют, что вы видите в них врагов, или, наоборот, окружающие начинают воспринимать вас как врага и атаковать.

Вот так может возникнуть озлобленность на весь белый свет. Человек начинает видеть все в мрачных тонах. Он не замечает добра, а усматривает во всем только зло. Такой человек в конце концов просто захлебывается в этом потоке зла, не замечая, что сам и усиливает этот поток многократно. Нормальное течение энергии прекращается. Человек отрывается от энергии Космоса и Земли, начинает «вариться» в одних вредных выбросах и окончательно истощает себя. В результате, как правило, — неизлечимая болезнь и смерть.

Почему даже самый завзятый трезвенник может стать алкоголиком, попав в пьющую компанию? По той же причине: когда все пьют, одному против всех удержаться трудно, энергетика желания выпить захлестывает и его. Наркоманами тоже часто становятся «за компанию». Вы теперь знаете, как это происходит, — эта самая компания ловит человека в энергетические сети, подчиняет помимо его воли своим желаниям.

А сколько раз бывает, что мы не хотим идти в гости, но идем, потому что нас туда затаскивают? А потом сидим весь вечер, маемся у этих неинтересных нам людей от тоски, злимся на себя, что теряем время (ведь мы собирались потратить его на другое, гораздо более важное для нас дело). Обычно такие необъяснимые поступки люди списывают на слабоволие, нетвердость характера. Люди не знают, что энергетические сети чужих желаний, стремлений, мыслей, эмоций могут быть так сильны, что даже волевому человеку, если он не умеет сознательно от этого избавляться, справиться с ними бывает очень трудно.

Примеры с алкоголиками, хамами и навязчивыми родственниками — это, как вы понимаете, еще цветочки. Объединяющие их энергетические структуры — микробы в сравнении с истинными энергоинформационными паразитами, которые возбуждают войны, военные истерии, революции, политические перевороты, объединяют людей в партии и политические течения, заставляют их поддерживать кучку зажравшихся политиканов, которые через рупор средств массовой информации вышибают новые волны энергии из народа — дойного стада энергетических паразитов. Эти энергоинформационные монстры правят Землей — множество людей подчинены им, но одно их существование держится в тени.

Невероятный вред наносится личной карме, ибо нет ничего хуже, чем ложные, навязанные извне желания. Больше всего страдают дети — как еще не устоявшиеся существа, пока не способные сопротивляться влиянию толпы. Детская наркомания стала столь массовой не потому, что подросткам хочется уходить в наркотический угар от безысходности жизни, а потому, что срабатывает все то же стадное чувство: все уже пробовали, а я что, рыжий или не такой крутой, как они? Именно в подростковом возрасте очень сильно желание быть как все. И конечно, подросток с легкостью попадает в пагубные сети энергетических связей с массой себе подобных, ведь его собственная энергоинформационная сущность говорит еще очень тихо, а требования себе подобных звучат властно и грубо, как приказ.

Именно поэтому так легко возникают подростковые банды. Подростки инстинктивно чувствуют, что, объединившись, они образуют новую одушевленную энергетическую структуру, которая будет обладать гораздо большей силой, чем каждый из них по отдельности. Поодиночке им трудно справляться со сложными жизненными ситуациями, с тяжелыми условиями существования, трудно противостоять сообществу взрослых, тоже насквозь пронизанному патологическими связями. Поэтому, чтобы хоть как-то существовать, они сбиваются в стаи и, как стайные животные, теряют свой индивидуальный разум и обретают разум коллективный. При этом они чувствуют, что, пока они вместе, их все будут бояться, им все сойдет с рук. Ведь они — единый организм, монолит, энергетический монстр. Потому и считают, что могут вести себя агрессивно, нагло, задирать прохожих. А попробуй подойти — так и отлетишь, ударившись об эту мощную энергетическую стенку.

Подростки, конечно, не подозревают, что при этом они портят свою карму, жизнь и судьбу, отказываются от своей собственной энергоинформационной сущности, полностью подчиняя себя чужим, навязанным извне программам, эмоциям и желаниям. И если их лишить «стаи», разделить мощную энергетическую структуру, какой является банда, на составные части, то от этой силы не останется и следа и перед нашим взором предстанут только жалкие, слабые и забитые существа.

Освобождение от энергоинформационных паразитов (ЭИП) означает свободу, свободу для развития. Ибо именно ЭИП заставляют нас оставаться глухими, они застят нам глаза, чтобы навсегда оставить на положении дойных коров. Их нужно во что бы то ни стало победить.

ЭНЕРГЕТИЧЕСКИЙ «МУСОР» ВЕДЕТ К ПОТЕРЕ СМЫСЛА ЖИЗНИ

Как видите, «не все в порядке в Датском королевстве». Ситуация эта возникла не сегодня и не вчера. То, что люди в толпе не принадлежат себе, известно уже давно. Но сегодня, в совре-

менных условиях, ситуация стала просто катастрофической. Ведь
современный город — это настоящий горн, беспрестанно выплав-
ляющий «мусорную» энергетику, которая вызывает болезни, заставляет людей поступать вопреки своей собственной природе.
Пока не отключишься от этих «мусорных» связей, невозможно ни
исправление собственной энергетики, ни обретение собственной
внутренней истины и подлинного смысла жизни. Без этого невоз-
можна долгая жизнь без болезней, невозможно стать везучим и
удачливым, невозможно скорректировать карму и изменить к лучшему свою судьбу. Ведь именно такой энергетический «мусор» заставляет человека забыть о себе, предать свою природу и двигаться
рядами и колоннами туда, куда ведет толпа. А ведь толпа не знает, что путь ее ведет в тупик, в никуда, — потому что никуда не
может привести путь, пролегающий в сугубо материальном мире.

Обратите внимание, что долгожители — это, как правило, если не отшельники, то люди, которые не слишком большое значение придают проблемам и устремлениям общества, люди, которые предпочитают одиночество, покой, уединенное размышление
на лоне природы. Чтобы не болеть, чтобы жить долго, надо сосредоточиться на себе, заняться собой, вместо того чтобы все время следить, что делают соседи, куда они идут и о чем думают. Когда смотришь под ноги другому, а не себе, нельзя не спотыкаться.
Если сидишь за рулем и, вместо того чтобы смотреть перед собой, все время заглядываешь в кабину едущей рядом машины и
стараешься повторять маневры ее водителя, аварии не избежать.

Пока человек не научится отделять свою энергетику от энергетики социума, он будет не человеком, а роботом, автоматом.

Вы, может быть, думаете, что к вам лично это все имеет мало
отношения и чужая энергетика влияет на вас не так уж сильно?
Тогда попробуйте проделать такой опыт.

Когда у вас плохое, тоскливое настроение, вызванное каки-
ми-нибудь вполне конкретными обстоятельствами, отправьтесь
туда, где веселится много народа, — в ресторан, на дискотеку, в
веселую компанию. Или наоборот: если у вас настроение припод-
нятое, проведите некоторое время в помещении, где все сидят с
сумрачными лицами. Если вы обуреваемы желаниями, посетите
компанию людей пресыщенных и уставших от жизни. Если вы
чувствуете апатию и безразличие, посидите там, где играют стай-
ки детей.

Во всех этих случаях вы отметите, как изменилось ваше состояние. А теперь подумайте: что же произошло? Разве что-ни-
будь изменилось у вас лично, что могло стать причиной для нового настроения? Нет, у вас лично совершенно ничего не изме-

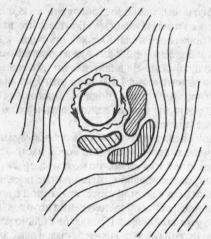

Рис. 23. Энергоинформационный паразит расплющивает своим давлением сущности отдельных людей, формуя их под себя и блокируя их взаимодействие с энергией Вселенной. Люди становятся засохшими струпиками на полнокровном теле паразита.

нилось. Просто вы попали под управление чужой энергетики. А что вы должны были сделать вместо этого, если хотели каким-то образом улучшить свое состояние? Вы должны были направить свою собственную энергетику на коррекцию своего состояния и решение своих проблем. Но теперь этот ваш собственный заряд ушел впустую, будучи вытесненным чужим, пришедшим извне зарядом, который вас не вылечит, не скорректирует, а только запрограммирует на несвойственное вам поведение и реакции.

Учтите при этом, что сознательные побуждения человека составляют меньше одного процента от тех побуждений, которые он не осознает. Так сколько еще посторонних программ, которых вы даже не осознали, вы нахватали? И разве вы можете предвидеть, как они на вас скажутся в дальнейшем?

Задайтесь вопросом: все ли ваши слова и мысли на самом деле ваши, или вы, не задумываясь, повторяете чужие речи — лучшей подруги, уважаемого коллеги, соседки, любимого телеведущего? Все ли ваши эмоции действительно принадлежат исключительно вам, или вы радуетесь, потому что все радуются, плачете, потому что все плачут? Все ли ваши желания — истинны, или вы хотите норковую шубу, шикарный автомобиль, поездку на Канары лишь потому, что все хотят того же?

А может быть, вы, наоборот, подавили в себе какое-то жизненно важное желание, потому что боитесь, что вас за него кто-то осудит? Подавленные желания тоже приводят к болезни. Точно так же, как к болезни приводит чужая программа, которой вы исказили свою сущность. Не включила ли чужая энергетика программу на самоуничтожение? Вы ведь этого не знаете. И никто вам не ответит на этот вопрос, пока эта программа сама не встанет «в полный рост», не начнет действовать и не покажет вам сама, куда она вас привела.

Один из моих недавних учеников, молодой мужчина, был преуспевающим менеджером, чувствовал себя настоящим хозяином жизни, имея все, о чем только можно мечтать: деньги, иномарку последней модели, радиотелефон, заграничные поездки, женщин... Жизнь его проходила в вечной суете, связанной с воплощением в жизнь новых и новых способов получения доходов, в светских тусовках, в прокуренных офисах. Правда, он сильно уставал и становился все более нервным, раздражительным и даже злым, но не обращал на это особого внимания, считая, что это так, ерунда, стоит только выбраться куда-нибудь на природу, расслабиться, отдохнуть, и все пройдет. Но расслабиться так и не удавалось, внутреннее напряжение нарастало, ни женщины, ни деньги, ни заграница уже не радовали. Все мелькало вокруг как в детском калейдоскопе.

Однажды он упал в обморок прямо на деловом приеме. Его увезли в больницу с тяжелым инфарктом. Провел пять суток в реанимации — врачи, что называется, вытащили. И вот тут, в больнице, на вынужденном досуге, у него наконец-то нашлось время, чтобы остаться наедине с собой и задуматься о своей жизни.

Он вспомнил свое детство. Вспомнил, что был тихим, добрым мальчиком, очень любил природу, подбирал во дворе бездомных котят, мог часами возиться с аквариумными рыбками и все свободное время проводил в зоологическом кружке. Мама говорила: «Ох, Вовка, наверное, ты ветеринаром будешь!» По сути, он вспомнил о своих давно подавленных желаниях — желаниях своей истинной сущности.

А потом перед его глазами встала вся его нынешняя жизнь, которая полностью управлялась другими людьми, социумом, требованиями материального мира. И вдруг он осознал, что от него истинного не осталось и следа — вместо него появился этакий манекен, рекламный герой в дорогом костюме с «надетой» на лицо голливудской улыбкой. Бездушная машина по зарабатыванию денег.

Врачи сказали: «Не поменяете образ жизни — жить вам от силы год-полтора, сердце просто никуда». И тогда он принял решение: бросил все, купил домик в деревне. Теперь у него своя небольшая ферма — коровы, гуси, кролики.

После того, как с ним была проведена большая работа по коррекции энергетики, обрубанию «мусорных» связей, он снова посетил врача-кардиолога. Врач остался в полном недоумении: рубцов от инфаркта как не бывало, а сердце такое, что хоть в космос посылай.

Другой случай. Женщина, руководитель фирмы, узнала, что у нее неоперабельный рак желудка, и, приготовившись умирать, бросила работу, уехала в глубинку, сняла домик в деревне, собравшись там, в тишине и одиночестве, закончить свои дни. К тому же она совершенно отказалась от пищи. И через какое-то время неожиданно почувствовала, что в душе у нее поселилось смирение, возникла какая-то гармония и даже как будто зажегся тихий умиротворяющий свет.

Через несколько месяцев оказалось, что никакой болезни больше нет. Медики недоумевали: такого не бывает. Это чудо. Или, может быть, были ошибки в предыдущих анализах?

Никаких ошибок не было. И произошло вовсе не чудо. Просто женщина осознала, что надо очиститься, освободиться от чуждой энергетики, от калечащих посторонних программ, от ложных жизненных идеалов и целей.

В каждом человеке заложено все необходимое, чтобы быть здоровым, чтобы самостоятельно корректировать свою энергетику. Каждый может научиться чувствовать потоки энергии, управлять ими и сознательно избавляться от «мусорных» энергетических связей.

Глава 4

Пути выхода: ощущение энергии и контроль над ней

ПРИЧИНЫ ЯВЛЕНИЙ МАТЕРИАЛЬНОГО МИРА — ДВИЖЕНИЯ ЭНЕРГОИНФОРМАЦИОННЫХ ПРОЦЕССОВ

Истинные причины болезней — не вирусы и микробы, не плохая экология и не жизненные невзгоды. Истинные причины — в нарушении течения энергетических потоков в человеческом теле. А значит, чтобы избавиться от этих причин и, соответственно, от самих болезней, надо прежде всего научиться чувствовать эти потоки энергии. Ведь только научившись их чувствовать, можно научиться ими управлять.

Собственно говоря, нам всем нет нужды этому учиться — нужно лишь вспомнить, как это делается. Ведь мы уже говорили, что способность воспринимать энергоинформационное поле дана каждому человеку от рождения. Просто общество вытесняет поле из сферы нашего восприятия, и человек «забывает» о своих истинных природных свойствах как существа энергетического.

Вы тоже можете прямо сейчас вспомнить о своих заложенных от природы возможностях и начать ощущать энергетические сигналы в пространстве. Вы должны сделать это. Убедитесь, что это так просто. Ваши ощущения всегда фиксируют полный набор сигналов, но раньше вы не осознавали этого и не придавали сигналам никакого значения. Теперь и для вас пришло время начать замечать то, мимо чего вы каждый день равнодушно проходили.

Для введения человека в состояние восприятия энергоинформационного мира существует довольно много систем, которые позволяют ученику освоить тот или иной аспект постигаемой реальности. Но все они окутаны таинственностью, сложны и занимают очень много времени. **При разработке ДЭИР мы сознательно отказались от них, потому что нашли другой путь, следуя которым любой человек, вне зависимости от его личного развития, освоит сознательное восприятие энергоинформационного мира быстро и без затруднений.**

ОЩУЩЕНИЯ ВНУТРИ СЕБЯ: ВОСПРИЯТИЕ СОБСТВЕННОЙ ЭНЕРГЕТИЧЕСКОЙ СТРУКТУРЫ. ДВИЖЕНИЯ ЭФИРНОГО ТЕЛА И ЕГО ОЩУЩЕНИЯ

Человек, воспитанный в материалистическом обществе, не привык фиксировать те из своих ощущений, которые как бы лежат вне сферы материального. И тем более он не привык соотносить свои ощущения с реальностью энергоинформационного мира. Между тем энергоинформационное поле беспрестанно стучится к нам, присутствует во всех проявлениях, буквально лезет из всех щелей, только и ожидая нашего внимания. Не удивительно: ведь поле — это то, что пронизывает весь мир насквозь, все его предметы и явления, все живые и неживые объекты. Поле — это то, чем пронизано все пространство.

Вам потребуется пройти инициацию, чтобы почувствовать, как оно проявляет себя в каждый момент нашей жизни. Эта такое же основное умение, как умение ходить, говорить, удерживать в руках предметы.

Система ДЭИР
ступень 1

Шаг 1. Ощущение своего эфирного тела

Встаньте прямо и спокойно, поставьте ноги на ширину плеч. А теперь медленно и прочувствованно поднимите вытянутую правую руку в сторону так, чтобы она оказалась параллельно полу. Так же медленно и прочувствованно опустите руку. Проделайте это движение несколько раз. При этом постарайтесь полностью сосредоточиться на движении руки и ощутить каждую косточку, каждое мышечное волокно, каждую клеточку. Опустите руку

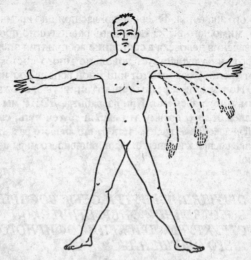

Рис. 24. Глаза видят, что рука неподвижна, — но вы-то чувствуете,
как движется ее эфирный слепок.

и, продолжая стоять неподвижно (руки опущены вниз, вдоль тела), повторите то же движение мысленно. Вызовите в себе те же
самые ощущения, которые вы испытали при реальном движении
руки, — вот рука поднимается, вот она достигает положения параллельно полу, вот медленно опускается... Хотя при этом мате-
риальная рука неподвижна, а действие лишь воображаемое, вы поразитесь тому, насколько ясно ощущение движущейся руки.

Ну как, получилось? Поздравляю! Вы только что впервые в
жизни совершили осознанное движение своего «тонкого» тела!
Которое и есть не что иное, как ваш энергоинформационный
«двойник», пронизывающий каждую клеточку тела физического.
Именно эфирное тело наделило сознанием тело физическое. Но
оно способно и к самостоятельному движению.

То, что вы сделали, несмотря на всю кажущуюся простоту, не
менее важно, чем первый шаг, который совершает младенец, только начавший учиться ходить. Вы тоже только учитесь «ходить» в
энергоинформационном мире. А сколько открытий у вас еще впереди!

Теперь немного усложним упражнение. Протяните руку (ма-
териальную, принадлежащую физическому телу) вперед, прямо
перед собой, например в направлении противоположной стены
(если вы в комнате) или ближайшего дерева, столба, здания (ес-

ли вы на улице, например на дачном участке). А теперь ощутите, что ваша рука вытянулась вперед на метр, два, три — на столько, сколько нужно, чтобы достать до стены (дерева, столба, здания). Чувствуйте это — как ваша рука вытянулась. Вот она вытягивается, вытягивается, вот она уже достает до своей цели — предмета, который вы себе наметили. Вот она ощупывает этот предмет. Не правда ли, неповторимые ощущения? Вот под вашими пальцами вы явственно чувствуете гладко окрашенную прохладную стену, или теплую, нагретую на солнце шершавую кору дерева, или «занозистую», неровную, покрытую трещинами древесину столба... А ведь вашей материальной руке из костей и мышц недостает нескольких метров, чтобы действительно ощутить все это.

Хотите, раскрою секрет? Все это вы уже делали много раз, хоть сейчас и не помните об этом. Вы делали это неосознанно, когда были младенцем и лежали в колыбельке. И вам, конечно, было невозможно дотянуться слабой маленькой ручонкой до стенки, потолка, до шкафа или стола. И вы исследовали окружающий мир вот так, на расстоянии, при помощи своей энергетики, которой вы тогда очень легко умели управлять.

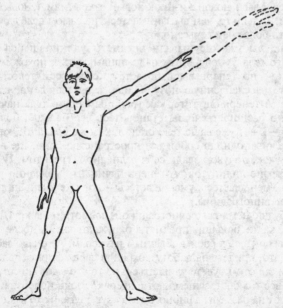

Рис. 25. В отличие от руки материальной, эфирное тело легко удлиняется.

А потом вы выросли и забыли эти ощущения, потому что не развивали их — ведь вас никто не учил этому и никто ничего не говорил вам об этом. Вы просто забыли о том, что умели когда-то. Но теперь вам очень легко вспомнить эти свои навыки, потому что это для вас — «хорошо забытое старое».

Система ДЭИР
Ступень I

Шаг 2. Изменение размеров своего эфирного тела

Сейчас вы научитесь более свободно обращаться с теми же самыми ощущениями, углублять их и расширять. Отнеситесь к этому как к увлекательной игре. Конечно, вы взрослый и серьезный человек, и никто в этом не сомневается. Но даже в самом взрослом и серьезном человеке всегда живет его внутренний ребенок. Этот ребенок способен играть, он отвечает в вас за творческое восприятие мира. И если вы даже в суете о нем забыли, если загнали его куда-то глубоко-глубоко, в самые потаенные уголки своей души, — вы можете о нем вспомнить, снова вернуть его к жизни, — и он, обрадованный, что о нем наконец вспомнили, поведет вас к новой жизни, к новым открытиям, к новым ощущениям. Только то, чем вы занимаетесь, на самом деле далеко не игра. Это более чем серьезно.

Итак, вы уже ощупывали предметы удлинившейся рукой эфирного тела. А теперь вам надо привыкнуть к похожим ощущениям, — но теперь вы работаете уже со всем телом сразу. Примите расслабленную позу — сидя, стоя или лежа, как вам удобнее. А теперь ощутите, как границы вашего тела начинают медленно расширяться. Вы становитесь все больше, больше и больше — и вот уже ваше тело стало таким же большим, как дом. Ваше тело заполнило собой все пространство дома, где вы живете. Ну как, почувствовали себя великаном, гигантом, Гулливером в стране лилипутов? А теперь начинайте медленно уменьшаться. Уменьшаетесь, уменьшаетесь — вот уже уменьшились до размеров виноградины.

Побудьте немножко виноградиной, посмотрите вокруг, почувствуйте, какие большие предметы окружают вас. А после обязательно вернитесь к своим обычным размерам. А то еще забудете сделать это, придете на работу, сохранив свое эфирное тело крошечным, а потом будете удивляться: и что это меня никто не замечает, все толкают, защемляют в дверях? Люди подсознательно реагируют на размеры эфирного тела друг друга, и это важная составная часть их поведенческих реакций (например, горожане

Рис. 26. Вы можете увеличить свое
эфирное тело как вам понравится.

Рис. 27. Вы можете уменьшить
эфирное тело насколько хотите.

имеют по сравнению с деревенскими более скромные размеры эфирного тела и, соответственно, ауры. Поэтому, например, москвичи раздражают ленинградцев, у которых комфортное расстояние между собеседниками сантиметров на пятнадцать больше, чем у них, ленинградцы — деревенских, привыкших держаться в метре-полутора друг от друга, а, скажем, японец так и лезет в лицо собеседнику и способен вызвать приступ клаустрофобии даже у кильки в томате).

Если вы вдруг забудете выйти из размеров дома, тогда не исключено, что многие окружающие при виде вас будут вжимать голову в плечи, подавленные вашими размерами. Не забывайте — это не игра. Психологически вы имеете право на игру, как и каждый человек, даже если он совсем взрослый. Дайте волю своему воображению. Играйте, фантазируйте, экспериментируйте. Но помните, что сейчас вы играете с реальным миром.

В принципе, изменение размеров эфирного тела уже сейчас может вам пригодиться: например, при проведении переговоров или при серьезном жестком разговоре увеличение размеров эфирного тела окажет вам существенную помощь — вы можете придать дополнительный вес своим словам и усилить свое влияние на окружающих. Уменьшение размеров эфирного тела способно помочь вам избежать ненужной встречи и затеряться в толпе. Одна-

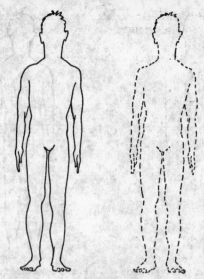

Рис. 28. Эфирное тело может перемещаться независимо
от тела физического.

ко, смею вас заверить, к концу нашего курса подобные дешевые приемы вам более не потребуются.

Ну что, разбудили свое детское воображение? А ведь дети проводят подобные эксперименты постоянно. Потому что они гораздо лучше, чем взрослые, ощущают возможности энергоинформационного поля — до тех пор, конечно, пока на них еще не так сильно, как на взрослых, влияют установки общества.

Идем дальше. Вы вернулись в свой обычный размер. А теперь переместитесь в пространстве на несколько метров от своего настоящего местоположения. Например, вы стоите в центре комнаты. Не двигаясь с места, ощутите, как вы делаете шаг, другой, третий, — и вот вы уже стоите в углу комнаты. И вы, стоящий в углу комнаты в своем невидимом эфирном теле, смотрите на свое тело физическое в центре комнаты. Теперь вернитесь в себя.

А теперь снова мысленно покиньте свое тело, можете отойти подальше, походить по квартире, зайти в соседнюю комнату... И все это не сходя с места.

Правда, поразительные ощущения? И если вы думаете, что ходили по своей квартире только в мыслях и в воображении, то вы ошибаетесь. Вы двигались по квартире в своем тонком теле. Это — реальность.

То, что вы только что совершили, часто называется экстрасенсами путешествием в низшем астрале. Низший астрал, как говорит само название, — это один из нижних и самых грубых слоев энергоинформационного поля, но он уже менее груб, чем материальный мир, где живет наше физическое тело. Следующие слои энергоинформационного поля, высшие по отношению к астралу, — это все более и более тонкие энергетические слои.

Надо сказать, что большинство энергетических связей между людьми в современном человеческом обществе сосредоточено именно в низшем астрале.

Система ДЭИР
ступень 1

Шаг 3. Ощущение энергоинформационных изменений в пространстве

Сядьте на стул в пустой комнате, расслабьтесь. Глаза закрывать не обязательно. Вы уже умеете вырастать до размеров дома, этот опыт вами получен. Представьте себе, что границы вашего осязания вырастают до размеров комнаты. Границы комнаты — это границы вашего тела. Ощутите свое единство с комнатой. Почувствуйте себя воздухом, заполняющим ее. И воздух, и стены, и потолок, и пол — это все внутри вас, это все часть вашего тела. Или наоборот: ваше тело теперь состоит из воздуха, из света, заполняющего комнату, из ее стен, пола и потолка.

Рис. 29. Вы можете увеличить свое эфирное тело так, чтобы полностью заполнить комнату и почувствовать ее пространство.

А теперь представьте себе, что дверь в вашу комнату открылась. Почувствуйте разницу в ощущениях, которую улавливает ваше тело, — разницу между закрытым и открытым помещением. Теперь представьте себе, что в комнату вошел человек. Опять уловите разницу в ощущениях. Не правда ли, ощущения теперь несколько другие? Не удивительно, ведь у вашей комнаты изменилась энергоинформационная структура. Снова вернитесь к ощущению пустой комнаты. Невероятные отличия, правда?

Вернитесь снова к своему обычному восприятию, к обычным границам тела. Ощущения, которые вы сейчас испытали, на первый взгляд очень тонки и едва уловимы. Они настолько неопределенны для обычного восприятия материалистически воспитанного человека, что ни в одном языке даже нет для этих ощущений названия. Это не осязание, не обоняние и не зрение... А что? Какое-то неуловимое «шестое чувство». И вместе с тем эти ощущения достаточно узнаваемы и различимы, и сознание их с легкостью распознает.

Благодаря полученному при помощи этих упражнений опыту вы почувствовали, как энергетика пространства на уровне низшего астрала контактирует с внутренней энергетикой человека, с его чувствительной сферой. Именно на этом уровне в подсознание человека, в его энергетическую сферу очень часто внедряются посторонние программы.

Итак, вы успешно выполнили все эти нетрудные задания. А это значит, что теперь вы владеете основным навыком, необходимым для того, чтобы вернуть себе нормальную циркуляцию энергии и правильное, неискаженное восприятие мира.

Ощущения данного класса очень полезны — они помогут вам слиться с окружающим пространством и почувствовать малейшие изменения в нем. Именно эти ощущения лежат в основе чутья на опасность, наблюдающегося у представителей диких племен и хищных зверей.

Восприятие низшего астрала — это только первая, самая простая ступенька на пути обучения восприятию энергоинформационного поля. В низшем астрале, как вы уже поняли, легко передвигается наше воображение, включающее в себя чаще всего только канал зрительной информации. В воображении вы можете гулять по лесу, сидеть в театре, плавать в море, ходить на свидания — и не догадываться, что в это самое время вместе с вашим воображением передвигается и ваше тонкое тело. Не случайно мы так легко в любой момент можем представить себе картину весеннего леса, даже если мы сидим в собственной городской квартире, а за окн м — зима. Или, находясь в лесу, можем вообразить себе шумную городскую улицу. И увидеть все это перед своим внутренним взором как наяву.

Именно в мир низшего астрала мы попадаем во сне. Там мы путешествуем в своих тонких телах и встречаемся с такими же путешественниками. Путешествовать там наяву большинство людей не могут опять же потому, что наше восприятие искажено воспитанием и мы считаем, что это попросту невозможно.

Но вы, в отличие от обычного человека, уже начали понемножку прозревать и узнавать, что представляет собой мир на самом деле. Если вы и далее пойдете по этому пути, то постепенно будете подниматься все выше и выше, ваше восприятие будет простираться все дальше и дальше от низшего астрала до самых высших уровней энергоинформационного поля, заложенных в вас от природы.

ПОЛЕ МОЖНО НЕ ТОЛЬКО ОЩУЩАТЬ, НО И ВИДЕТЬ

Девяносто процентов всей информации об окружающем мире человек получает через орган зрения — глаза. Но человек использует зрение главным образом лишь для того, чтобы видеть предметы и явления материального мира. А ведь при помощи зрения можно видеть и эфирные структуры, составляющие самые нижние слои энергетики тонкого мира и человека как части этого мира. Убедитесь, что вы тоже можете видеть эфирные тела, причем для этого вам вовсе не обязательно впадать в глубокий медитативный транс, в религиозный экстаз или годами истязать себя постами и аскетическим образом жизни.

Шаг 4. Зрительное восприятие ауры

Вечером, перед сном, лежа в постели или просто находясь в любой удобной для вас позе — но желательно в полумраке, вытяните перед собой руку так, чтобы кисть руки оказалась на фоне потолка. Растопырьте пальцы и смотрите в направлении руки, но постарайтесь, чтобы ваш взгляд падал не собственно на пальцы, а проходил как бы сквозь них и упирался в потолок. Попытайтесь воспринимать пространство непосредственно перед кончиками пальцев. Сосредоточьтесь на этом пространстве и какое-то время смотрите неподвижно. Но смотрите не на него, а сквозь него — в потолок. Через некоторое время вы заметите какое-то изменение в пространстве возле пальцев. У каждого это изменение

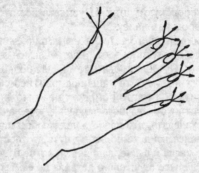

Рис. 30. Аура пальцев руки — словно бесцветные лучики энергии
срываются с кончиков пальцев. Они еще похожи немного на марево
горячего воздуха над асфальтом в солнечный день.

может быть свое. Кто-то увидит что-то отдаленно напоминающее
бесцветные лучики, идущие от пальцев, у кого-то появятся как бы
белесые сгустки тумана, у кого-то пространство возле пальцев неуловимо изменит цвет, станет темнее или светлее...

Попробуйте слегка пошевелить пальцами и «поиграть» этими
лучиками или пятнышками. Это и есть не что иное, как ваше собственное эфирное тело, которое вы теперь можете видеть собственными глазами. Попробуйте удлинить эфирное тело своей руки, и вы увидите, как «лучики» вытянутся.

Только не пытайтесь объяснить все обманом зрения. Это общество в лице ваших воспитателей и родителей обманывало вас с
самого детства, говоря: «Тебе показалось» — стоило вам только
увидеть что-то необычное. А ваших воспитателей и родителей с
детства обманывали точно так же, так что не стоит на них обижаться. Они сами перестали обращать внимание на всякие непонятные ощущения, которые бывают в жизни у каждого человека — потому что тоже считали, что им «показалось». Ведь за много лет в обществе сформировалось мнение, что если человек
заметил нечто необъяснимое с точки зрения тупого обывателя,
значит, это ему померещилось.

Так вот теперь вы вполне готовы к тому, чтобы относиться к
своим ощущениям более внимательно. Вы-то сами теперь можете подтвердить: то, что вы только что видели, вам не показалось,
не померещилось. То, что вы видели, — реальность, потому что
эфирное тело существует реально, хотя большинство людей и
отучились его видеть. Но стоит его увидеть один раз, как сомнения отпадут.

Когда вы четко увидите эфирное тело своей руки, попробуйте дотянуться им (именно эфирным телом, а не физической рукой!) до другой вашей руки. Дотроньтесь до нее эфирной рукой. Ощущения будут вполне четкие — ведь вы уже научились воображаемой рукой дотрагиваться до предметов. Вот вы дотронулись до своей руки эфирным пальцем. Вот погладили ее эфирной ладонью. Вот осуществили с самим собой эфирное рукопожатие.

Правда, аж дух захватывает? Рука вроде бы неподвижна, а вы ощущаете все ее прикосновения! А соприкосновения эфирного тела пальцев ощущаются именно тогда, когда соприкасаются «лучики», исходящие от них.

Если вы как следует потренируетесь, то очень скоро научитесь видеть не только эфирное тело, но и ауру любого человека, включающую и более тонкие энергетические слои. Посмотрите на пространство вокруг голов прохожих — и вы увидите прозрачную корону ауры. И для этого вам не понадобится никакой Кирлиан-эффект. Вы сможете увидеть размер и цвет ауры, ее форму и толщину. А по цвету, форме и толщине ауры уже можно судить о том, болен человек или здоров, есть ли у него сглазы и порчи. Например, если вы заметили некоторое разрежение участка ауры у человека, то этот человек страдает от сглаза, а если в его энергетической оболочке присутствует уродливое или компактное темное образование, то у вашего объекта порча. Видение ауры позволит вам выявлять такие неприятные явления, как программирование, вампиризм и даже проклятие. Но об этом — далее.

Рис. 31. Голову любого человека, как корона или нимб,
окружает ясно различимая аура.

Шаг 4а. Зрительное восприятие излучения (необязательный).
Глаза — уникальный инструмент. И если вы хотите лишний раз
проверить их возможности, попробуйте в порядке эксперимента, например, ощутить глазами тепло. Посмотрите сначала на
потолок, а потом на горячий чайник. Сделайте это еще и еще
раз. Четкая разница, не так ли? Если рука может воспринять
тепло горящей спички на расстоянии не больше одного метра,
то глаз может улавливать даже один-единственный фотон. Глаз
— сверхчувствительное создание природы. И потому он легко может регистрировать и эфирные тела, и ауру, и биоэнергетическое
излучение вообще. Только надо, чтобы человек сам был готов к
восприятию этих тонких сигналов. Помните? «Имеющий глаза
да увидит...». А вы сделали то, что считается в принципе невоз-
можным для человека, — «увидели» инфракрасное излучение!

Итак, примите в очередной раз поздравления! Ваше восприятие уже шагнуло далеко за уровень, доступный обычному заби-
тому обществом человеку. Восприятие возвращается буквально на
глазах. Вскоре вы уже не сможете больше обходиться без этих
ощущений — потому что ступенчатая эволюция, ДЕИР, необра-
тима.

ВОСПРИЯТИЕ ЭНЕРГЕТИЧЕСКИХ ПОТОКОВ ВНЕ ТЕЛА

Энергетические потоки текут повсюду. Мы с вами уже
говорили, что энергоинформационное поле пронизывает весь
мир, а значит, его можно ощутить в любой точке пространства и
времени. Вы сами поразитесь тому, насколько это просто.

Сейчас вы научитесь ощущать энергетические структуры при
помощи рецепторов вашего физического тела, с тем чтобы в дальнейшем научиться контактировать непосредственно с энергетическими структурами сознания, а также взаимодействовать с другими энергетическими сущностями.

Система ДЭИР
Ступень I

Шаг 5. Осязательное восприятие собственной энергетической оболочки

Сядьте на стул в удобной, свободной, ненапряженной
позе. Поставьте руки перед собой на колени ребром — так, чтобы
ладони смотрели друг на друга и были параллельны друг другу.
Между ладонями должно быть расстояние сантиметров 20—25.

Рис. 32. Вот так проще всего почувствовать поле своей руки...

Теперь начинайте медленно, размеренно и глубоко дышать (вдох — вылох). В такт вдохам начинайте медленно сдвигать ладони, при этом сосредоточившись на ощущениях между ладонями. Можно представить себе, что между ними вы держите полуспущенный воздушный шарик. Полностью сосредоточьтесь на том, что ощущает кожа ваших ладоней.

По мере того как расстояние между ладонями будет сокращаться, вы почувствуете некоторое сопротивление — как будто и правда у вас в руках зажат воздушный шарик. Чувствуете, как «шарик» не пускает ваши руки дальше? Как его упругую поверхность явственно ощущают ваши ладони?

Порадуйтесь своим ощущениям, насладитесь ими — ведь раньше вы никогда не испытывали ничего подобного!

А теперь опустите руки снова на колени и сделайте то же самое воображаемыми руками — в астрале. Ведь вы уже знаете, что это такое, и умеете перемещаться в астрале. Не правда ли, ощущения те же самые, что и при движении настоящих, физических рук?

То, что сейчас произошло, очень важно. Вы впервые почувствовали свою собственную энергетическую оболочку. Энергетическая оболочка — это продолжение эфирного тела во внешнюю среду. Внешняя часть энергетической оболочки и называется аурой. Именно на этом уровне в наше тело обычно прорываются жесткие энергетические и эмоциональные заряды. Если эта оболочка повреждена — человек будет болеть. Если на ней есть утолщения и наросты, это говорит о том, что в оболочку вживилась чуждая энергетическая структура. Овладение этими ощущениями может помочь вам в диагностике как болезней физического тела (впрочем, вам это вряд ли понадобится, потому что вы сможете пользоваться самооздоровительными методами, изложенными в этой и последующих книгах), так и в выявлении энергоинформационных поражений. Но не спешите воспользоваться ими для лечения и диагностики других людей — лучше помогите им овладеть методами лечения самостоятельно.

Система ДЭИР
ступень I

Шаг 6. Осязательное восприятие энергетической оболочки другого человека

Теперь, когда вы научились ощущать собственную эфирную оболочку, вы можете научиться ощущать ее и у других людей. Проведя рукой над телом другого человека, вы почувствуете ту же упругость, что была между вашими ладонями от воображаемого шарика.

Но для начала вам не мешает еще немного поэкспериментировать со своим телом. Проведите рукой у себя над голенью, над бедром. Убедитесь, что существует некоторое сопротивление, что вы ощущаете поле рукой — рука чувствует его упругость. Может быть, в руке появятся и другие ощущения — например, тепло или чувство, как будто ладонь слегка покалывают тысячи иголочек. Ощущения в руке могут быть самые разные, это глубоко индивидуальное дело. Главное — чтобы вы ощутили, как именно ваша рука реагирует на поле, что она при этом чувствует, и постарались запомнить ваши ощущения.

Теперь модифицируйте упражнение — надавите полем руки на поле бедра, не двигая при этом самой рукой. Почувствуйте, как поле руки удлиняется и совершает давление. В бедре при этом вы ощутите легкое тепло и тяжесть, чувство давления. А теперь ощутите, что поле вашей руки сокращается, втягивается — и в бедре возникнет ощущение прохлады и легкости, как будто давление отпустило. Повторяйте это упражнение до тех пор, пока ощущения не станут совершенно четкими и достоверными.

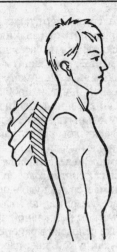

Рис. 33. Вы почувствуете два слоя поля — внешний, неплотный, это
собственно эфирное тело, а плотный внутренний — это поле клеток тела.
Если клетки еще живы, то внутренний слой сохраняется.

Внимательно исследуйте поле другого человека (или поле своего тела). Вы обратите внимание, что оно имеет два четко различимых слоя — внешний, более рыхлый, и внутренний, поплотнее.
Внутренний слой — это суммарная полевая структура клеток тела, тогда как внешний — это уже структура непосредственно
эфирного тела. Собственно структуры сознания не поддаются
ощущению, потому что не имеют четкой границы и простирают-
ся чрезвычайно далеко. Но и по двум слоям можно диагностировать: при параличах, например, и прочих нарушениях нервной
проводимости внешний слой истончается и даже исчезает, а при
воспалениях разрастается плотный внутренний слой.

Итак, вы только что научились по своей воле направлять потоки энергии. Когда вы надавили полем руки на бедро, вы сооб-
щили бедру энергию, а когда сократили поле своей руки — то по-
заимствовали часть энергетической структуры бедра.

Произошел обмен биологической энергией, который происходит обычно именно на этом уровне. Именно так проводится
энергетический массаж, так заглаживают рытвины и пробои в
энергетической оболочке, которые появляются вследствие сглаза. Это все делается с помощью энергии, которую отдает рука.

А свойством руки брать энергию можно пользоваться, чтобы
снимать боли и воспаления. Но — внимание! — я настоятельно ре-

комендую вам пока воздержаться от таких манипуляций с чужой биоэнергией. Чтобы применять эти знания на практике, необходимо сначала научиться ставить на свою энергетику защиту, а вы этого делать пока не умеете. А без защиты любое воздействие на чужое поле опасно — ведь вместе с чужой энергетикой легко нахвататься и чужих болезней, и чужих проблем.

Вот вы и познакомились с принципами энергетического целительства. И теперь можете понять, что целители — это вовсе не какие-то небожители и сверхчеловеки, это такие же люди, как и вы, просто они немного раньше начали разбираться в своей природе и в истинно   устройстве мира. А ведь в человеческом сообществе даже такой простой прием, как снятие головной боли при помощи руки, до сих пор воспринимается как чудо и нечто из ряда вон выходящее. На самом деле все элементарно: головная боль очень часто может быть вызвана сгустком негативной энергии, застрявшим в энергетической оболочке человека в районе головы. Эта негативная энергия может быть как чужой, так и своей собственной, оставленной собственными негативными мыслями. Целитель при помощи руки как бы отсасывает, как поршнем, этот негативный сгусток. И голова перестает болеть безо всяких таблеток.

Но люди не знают таких простых вещей и в первую очередь хватаются за таблетки — как будто таблетка может убрать негативную энергию, ставшую причиной головной боли. Нет, химические лекарства лишь обезболивают ткани, устраняют симптомы. А негативная энергетика при этом так и остается в поле, готовая продолжить свое разрушительное воздействие. Теперь вы понимаете, насколько абсурдно лечение таблетками? Тот, кто лечится таким образом, воспринимает мир в абсурдном, перевернутом виде, начинает разматывать клубок своих болезней с противоположного конца. Но так можно долго и безуспешно тянуть за ниточку, не понимая, что начинать надо с другого конца — не со следствия возникшей патологии, каковым является боль, а с причины этой патологии, которая лежит в сфере энергетики.

Энергетические воздействия, о которых вы только что узнали, — это так называемая силовая энергетическая работа с энергетическими структурами человеческого тела. Эти энергетические структуры — это наши мускулы в энергоинформационном мире, мире, забытом человечеством, которое пошло в своем развитии по неверному пути. А раз человечество забыло свою энергоинформационную сущность, то и энергетические мускулы его атрофировались. А если нет мускулов — где же сила?

Но вы — вы лично, мой дорогой читатель и ученик, уже начали путь к возвращению своей потерянной силы. Вы уже овладели навыками элементарной полевой «зарядки» — научились чувствовать энергию и перемещаться в своем энергетическом теле, научились видеть эфирное тело и даже применять силу в энергоинформационных полях, воздействуя на тело при помощи энергии.

Порадуйтесь за себя, но не спешите возгордиться. Это — только начало пути, только самые первые шажки, только «детский лепет» в мире энергоинформационных структур. **Главное у вас еще впереди. Ведь вы еще не знаете основ управления главным энергетическим потоком человеческого тела. А именно этот поток — тот фундамент, на котором мы будем учиться строить светлое и прекрасное здание своего здоровья, удачи, процветания и жизни вечной.**

УПРАВЛЕНИЕ ГЛАВНЫМ ЭНЕРГЕТИЧЕСКИМ ПОТОКОМ

Как вы уже знаете, основной энергетический поток в теле человека состоит из двух потоков, которые идут в противоположных направлениях: поток снизу вверх идет на некотором расстоянии впереди позвоночника и находит выход через верхние чакры, а поток сверху вниз идет почти вплотную к позвоночнику и вырывается через нижние чакры. Теперь дело за немногим — **от теории перейти к практике. Сейчас вы будете учиться ощущать движение этих потоков.**

Система ДЭИР
ступень 1

Шаг 7. Управление восходящим потоком

Сядьте или встаньте прямо, спокойно и расслабленно, сосредоточьтесь, отбросьте посторонние мысли и сконцентрируйтесь на ощущениях в собственном теле. Постепенно вы почувствуете впереди позвоночника некоторое движение энергии снизу вверх. Сначала оно может быть для вас едва ощутимым, восприниматься только как некий намек на движение. Но если вы будете упорны и не бросите усилия с первой же попытки — движение будет становиться все более явственным и ощутимым. В конце концов вы почувствуете поток вполне отчетливо. Сначала — как будто ручеек пробивает себе дорогу от первой чакры ко второй, к третьей, вот он идет к груди, проходит через горло, переносицу, движется к темени... Чувствуете?

Если вы будете часто это практиковать, то ваш «ручеек» ощущений постепенно превратится в мощную полноводную реку. Его

Рис. 34. Вот так выходит из тела жесткий поток энергии Земли — он
стремится наружу через верхние чакры.

тяжело почувствовать не потому, что он слаб, а потому, что он совершенно естествен для человека. Это так же трудно, как ощутить
собственное неутомимое сердце.

Когда вы добьетесь четкого ощущения движения потока,
представьте себе, что в центре вашей головы установлена стрелка, которую вы можете поворачивать по своей воле в разные стороны. Она прикреплена к основанию черепа и в данный момент
времени направлена вперед. Ощутите, как поток поднимается
вверх, как он усиливается и выплескивается из верхних чакр, прежде всего из Аджны.

А теперь поверните стрелку назад. Вы почувствуете, что Аджна-чакра стала, как пылесос, всасывать энергию!

Проверьте эти ощущения несколько раз, пока они не обретут
четкость и яркость.

Вот вы и овладели основным инструментом человеческой
«энергостанции», с помощью которого мы передаем свои эмоции
другим людям. Вы уже использовали элементы восходящего потока, когда заставляли постороннего человека обернуться. Но его
возможности намного больше. Он вам потребуется для отсечения
посторонних влияний, манипуляции энергетическими структурами и управления другими существами.

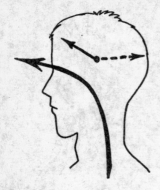 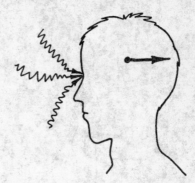

Рис. 35. Если ощутить поворот внутреннего рычага вперед, то энергия Земли начнет бить из Аджна-чакры словно фонтан.

Рис. 36. Внутренний рычаг повернут назад — и Аджна-чакра, как насос, начинает поглощать рассеянную энергию Космоса.

Шаг 8. Управление нисходящим потоком

Теперь то же самое проделаем с потоком, идущим сверху вниз. Сосредоточьтесь, расслабьтесь, ощутите, как вдоль позвоночника от темени к нижним чакрам течет энергия. Установите стрелку в области Манипуры. Почувствуйте, как энергия может вырываться из Манипуры, а может всасываться ею. Когда энергия вырывается, мы программируем других людей, навязываем им свои мысли и идеи. Когда энергия всасывается, мы воспринимаем эмоции и желания других людей и заражаемся ими.

Незначительное воздействие нисходящим потоком вы уже осуществляли, когда в одной из предыдущих глав заставляли постороннего человека изменить направление движения. Но владение им потребуется вам как для защиты от посторонних влияний, так и для восстановления собственного здоровья.

Система ДЭИР
ступень 1

Шаг 9. Целостное ощущение главных энергетических потоков своего тела

А теперь заглянем за пределы нашего физического тела, чтобы проследить дальнейший путь потоков.

Почувствуйте весь путь потока, идущего сверху вниз: вот он нисходит на вас с огромной высоты, из зенита, проходит сквозь

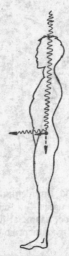

Рис. 37. Долго не нужно объяснять — внутренний рычаг в нижней
части живота позволяет управлять
движением нисходящего потока.

Рис. 38. Почувствуйте — так
человек живет на Земле, получая
энергию от нее и из бесконечных
просторов Вселенной.

темя, идет вдоль позвоночника через все чакры и уходит глубоко
в землю. А вот встречный поток — он поднимается из земли и уходит через ваше тело вертикально вверх, в Космос, в бесконечную
высоту. Почувствуйте сам ход этих двух потоков в себе, само это
вечное движение, дарующее жизнь. А себя почувствуйте той самой бусинкой, свободно висящей на ниточках двух потоков. Не
бойтесь «отпустить» себя — потоки держат вас крепко и надежно.
Вы можете спокойно довериться им и снять контроль с себя, со
своего физического тела. Поручите свое тело энергетическим потокам — и они уже сами начнут вести ваше тело к здоровью, к хорошему самочувствию, ко всему тому, что необходимо вам в жизни. Увидите: в таком состоянии вам станет жить гораздо легче и
спокойнее.

Центральные потоки — это и есть основной источник энергии, необходимой человеческому телу, чтобы жить, чтобы быть
здоровым и гармоничным. Но для всего этого существует одно ус-
ловие: движение этих потоков должно быть ровным, сильным и
защищенным от внешних воздействий, то есть от тех самых патологических замыканий энергии на других людях, на социуме,
на физическом мире, о которых мы уже говорили. Только тогда

человек будет ощущать себя здоровым, сильным, способным получить в жизни все то, что ему необходимо. Именно здесь — секрет нашего здоровья и болезни, силы и слабости и, в конечном итоге, жизни и смерти.

Запомните ощущение двух текущих навстречу друг другу потоков в вашем теле. Проверяйте время от времени это свое ощущение — все ли в порядке, течет ли энергия, с должной ли силой и скоростью движутся потоки?

Если вдруг вы почувствуете замедление потока, вы можете в любой момент восстановить его прежнюю скорость, приложив для этого некоторое внутреннее усилие. Для того, чтобы энергетика всего тела функционировала нормально и была управляемой, центральный энергетический поток должен быть сильным.

Вот вы и поняли, что можете сами управлять движением своих потоков, что можете стать их хозяином. И не только можете, но и должны — чтобы хозяином ваших потоков не стал кто-то другой, чтобы вами не управляли какие-то силы извне. А ведь для обыкновенного человека это норма жизни. Обыкновенный человек управляем со стороны практически непрерывно.

Но вам предстоит еще учиться, учиться и учиться для того, чтобы по-настоящему нормализовать свой центральный поток. Учиться чувствовать свою энергетику, видеть ее, управлять ею. Как вы уже убедились, ничего невозможного для вас в этом нет. **Вам нужно надежно отключиться от влияний внешних энергетических сущностей, несущих человеку болезнь и ввергающих его в неволю.**

Глава 5

Точки замыкания энергоинформационных потоков человека на энергетике социума

СИСТЕМА САМОКОНТРОЛЯ ЦЕНТРАЛЬНЫХ ПОТОКОВ

Вы уже научились ощущать в своем теле центральный энергетический поток, а вернее, два потока, которые и составляют ядро энергетической сущности человека. Человек «запланирован» так, что посредством этих двух потоков должен постоянно получать энергетическую подпитку от Земли и от Космоса и преобразовывать полученную энергию для своего жизнеобеспечения.

Но современный человек — это, как правило, изуродованный окружением человек, который частично отсек себя от энергетики Земли и Космоса, но зато подключился к энергетике человеческого сообщества. А человеческое сообщество, как мы уже говорили, забирает массу энергии у каждого из нас, а взамен ничего не возвращает. Энергия начинает уходить «на сторону» по патологическим энергетическим жгутам, принадлежащим как другим людям, так и самостоятельным энергетическим сущностям. Человеку начинает этой энергии не хватать — отсюда болезни, неприятности и несчастья, ведь у человека больше не остается жизненных сил, у него все забирает социум.

Научившись ощущать течение вертикальных энергетических потоков в своем теле, вы всегда можете проконтролировать, не нарушилась ли подпитка от Земли и Космоса, достаточно ли сильно, мощно и быстро движутся потоки. Если поток вдруг резко иссяк, снизил скорость — это самый явный признак того, что вы попали в патологическую энергоинформационную сеть, сотканную социумом, или стали жертвой агрессии со стороны чуждой энергетики.

Чтобы научиться избавляться от таких чуждых воздействий, вам в первую очередь предстоит как следует оттренировать способность замечать подобные изменения в собственной энергетической системе.

Потом вам придется научиться выявлять источник посторонних воздействий.

А выявив источник, вы сможете нейтрализовать эти воздействия.

Надеюсь, вы хорошо усвоили все приемы, о которых говорилось в предыдущей главе. Они потребуются вам для того, чтобы приводить в норму свою энергетику.

В этой главе мы будем говорить о том, как создать и оттренировать систему контроля за собственным состоянием. Перед нами стоит двуединая задача. **Во-первых, мы должны определить некие ключевые точки, по которым мы сможем время от времени запускать систему оперативного самоконтроля (что-то вроде проверки боеготовности всех систем самолета по ключевым точкам). И во-вторых, закрепить в памяти нормальное состояние этих ключевых точек.**

Итак, как же научиться достаточно эффективному и точному самоконтролю? Если вы как следует усвоили предыдущий материал и успели закрепить на практике, то можете сказать: чего проще? С утра встал, проверил, нормально ли текут потоки, если ненормально — нормализовал усилием воли, и вперед, живи дальше, общайся с социумом. Если вы действительно так рассуждаете — ну что же, вас можно поздравить, вы делаете успехи и основной принцип ухватили совершенно правильно. И все же это не совсем так.

Во-первых, каждую секунду своей жизни вы не сможете держать потоки под контролем — никакого внимания не хватит. Особенно если учесть, что современный человек живет в достаточно напряженном ритме и у него множество самых разных забот. Допустим, утром, по пути на работу, в транспорте, чтобы время даром не терять и не поддаваться воздействию окружающих, вы можете сколько угодно где-нибудь в уголке вагона гонять ваши потоки туда-сюда. Но потом вас обязательно захватят дела, и будет уже не до потоков. Придется думать о работе, о том, что надо купить продукты, приготовить обед, помочь с уроками детям, начать ремонт в квартире и так далее. Потом спохватишься — а где потоки-то? А они тем временем незаметно иссякли, вы сами не знаете как. Ну потрудитесь еще перед сном над восстановлением потоков, а утром опять все по новой. Так, знаете ли, никаких сил не хватит, будете вечно выпутываться из патологических состояний с очень незначительными успехами.

Задача состоит в том, чтобы научиться обнаруживать причины того, что потоки иссякают, — то есть фиксировать сам факт внешнего воздействия. Для этого вы должны узнать, что оба потока имеют так называемые критические точки — места замыкания, по ощущениям в которых можно судить о характере внешних воздействий. Сейчас мы с вами будем учиться ощущать критические точки восходящего и нисходящего потоков — точки, по которым мы можем ориентироваться, теряем мы энергию или нет, течет она нормально или утекает в нежелательном направлении, и по ощущениям в которых мы можем обнаруживать саму причину нарушения циркуляции энергии в собственном теле.

Система ДЭИР
Ступень I

Шаг 10. Критическая точка восходящего потока

Расслабьтесь, встаньте прямо, ноги на ширине плеч. Поднимите руки в стороны, глубоко вдохните, а затем медленно выдохните. На вдохе поймайте ощущение восходящего потока и удерживайте это ощущение как на вдохе, так и на выдохе. Повторите вдох и выдох несколько раз, продолжая удерживать ощущение восходящего потока. Вы почувствуете, что на вдохе поток явно усиливается, а на выдохе теряет свою интенсивность.

А теперь вдохните и задержите вдох на середине. Вы почувствуете, что поток медленно ослабевает. Повторите вдохи, вдохи с задержками и выдохи несколько раз, пока не запомните это ощущение. Потренируйтесь усиливать и успокаивать поток по своей воле с помощью вдоха и выдоха.

Обратите внимание: когда вы задерживаете дыхание, поток начинает таять где-то чуть выше пупка. Это происходит потому, что энергия хоть и поднимается по-прежнему к макушке, но начинает потихоньку рассеиваться через верхние чакры. Запомните как следует это ощущение — как поток тает в районе пупка при задержке дыхания.

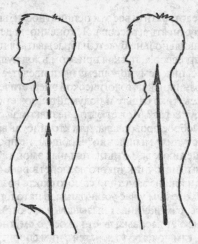

Рис. 39. Задержите выдох — и энергия восходящего потока начнет тут же
рассеиваться; но если вдохнуть, то она вновь потечет мощно и ровно.
Это ритм восходящего потока Земли.

А теперь вы должны крепко-накрепко усвоить следующее (это
очень важно!): если вы не задерживаете дыхание, если вы дышите
ровно и спокойно, как обычно, а восходящий поток все же тает чуть
выше пупка — это верный признак того, что кто-то или что-то заставляет вас терять энергию!

Надо сказать, что ощущение это настолько своеобразно, что
не заметить его невозможно, и если вы четко уловили это ощущение один раз, то уже убедились в этом сами. Любое незапла-
нированное появление такого ощущения говорит о том, что вы
стали объектом прямой и грубой энергетической агрессии. Как
вы уже знаете, восходящий поток — это источник земной, грубой энергии, а потому повредить этот поток можно грубым, эмо-
циональным энергетическим воздействием. Поэтому, если вы четко уловили ощущение рассеивания энергии в зоне выше пупка,
можете быть уверены: где-то в вашем окружении есть агрессор,
который грубым выбросом земной энергии из своих верхних чакр
перебил ваш восходящий поток. Теперь вы знаете, в каком именно месте он замкнул вашу энергетику.

Энергетические удары по восходящему потоку приводят к
сердечно-сосудистым заболеваниям, понижению иммунитета,
анемиям, неврастении. Все это — следствия нарушений эмоциональной сферы, которая зависит от нормального течения восходящего потока.

Чтобы предотвратить все эти неприятности, вам предстоит научиться обнаруживать агрессора. Я, конечно, надеюсь, что вы поймете меня правильно и не будете набрасываться на окружающих с криком: «Ты агрессор!», пуская при этом в ход кулаки. Такие методы, уверяю вас, ни к чему хорошему не приведут, а приведут только к усилению возникшей патологической энергетической связи. Лучше успокойтесь, тихо сядьте и подумайте: может быть, кто-то вам нагрубил, обругал вас? Может быть, незнакомая старушка за спиной что-то недоброе проворчала, или кто-нибудь вас толкнул в метро, на ногу наступил умышленно? В общем, не проявил ли кто-нибудь по отношению к вам отрицательных эмоций?

Обнаружить источник такого воздействия не так трудно, даже если вы забыли или не заметили самого факта воздействия. Обычно человек, с которым у вас установилась патологическая энергетическая связь, сам начинает вызывать у вас отрицательные эмоции: он раздражает вас, вызывает какое-то смутное и непонятное недовольство, вам почему-то хочется с ним спорить, возражать ему. Так проявляют себя патологические связи. Проверьте свое окружение на этот счет: кто вас раздражает? Ах, все сразу? Ну, тогда так и знайте: это все люди, с которыми вы соединены патологическими связями и которые не дают вашей энергии течь нормально, или они объединены влиянием энергоинформационного паразита, в данный момент намеренного «выкачать» вас.

Как избавляться от этих связей, я научу вас чуть позже. Пока потренируйтесь в том, чтобы их распознавать, и вы увидите, что в процессе таких тренировок некоторые из этих связей отпадут сами собой.

Надо сказать, что внешние источники эмоционального воздействия в некоторых случаях могут спровоцировать и усиление восходящего потока. Усиление потока обычно ощущается на расстоянии ладони ниже того места, где проявляется ослабевание потока, то есть ниже пупка. Усиление потока не несет непосредственной угрозы ни здоровью, ни жизни, но оно сопровождается усилением эмоционального фона и может спровоцировать человека на неоправданные поступки и неадекватное поведение. В таких случаях часто говорят: «Он действовал в состоянии аффекта».

Система ДЭИР
Ступень I

Шаг 11. Критическая точка нисходящего потока

Теперь научимся распознавать, как посторонние воздействия внедряются в наш нисходящий поток. Встаньте прямо, не напрягаясь, поднимите руки в стороны. Все то же самое: вдох —

выдох, но теперь сосредоточьтесь на нисходящем потоке. Повторите несколько раз вдох и медленный выдох с ощущением нисходящего потока. Не огорчайтесь, если вам сразу не удастся почувствовать зарождение потока в седьмой, теменной чакре: ведь туда поступает чистая энергия Космоса, а ее ощущение приходит постепенно. Скорее всего, сначала вы будете замечать зарождение потока где-то в районе основания шеи, у затылка, а теряться поток будет внизу живота.

Повторив несколько вдохов и выдохов, осознайте, что поток усиливается на выдохе. Повторите вдох и выдох несколько раз — пока вы не привыкнете к ощущению потока и не начнете ощущать его так же ясно, как вы ощущаете, к примеру, ноту камертона или луч света. Научитесь усиливать и успокаивать поток по собственному желанию при помощи дыхания.

А теперь прервите выдох на середине, не завершив его. Почувствуйте, как нисходящий поток начинает рассеиваться. Вы заметите, что он начнет теряться и исчезать примерно в пяти сантиметрах над пупком. Это и есть критическая точка нисходящего потока. Как следует запомните это ощущение.

Внимание! Теперь то, что нужно хорошо усвоить: если вы не задерживаете выдох, а нисходящий поток все равно рассеивается в точке на пять сантиметров выше пупка, значит, имеет место энергетическое воздействие извне.

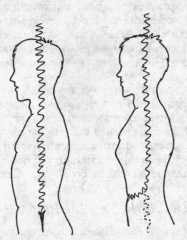

Рис. 40. Сделайте медленный выдох — и вы почувствуете, как усиливается нисходящий поток, но если вдохнуть, то он начнет рассеиваться в теле. Это ритм нисходящего потока Космоса.

Это чувство уменьшения и рассеивания нисходящего потока проявляется менее явно и отчетливо, чем рассеивание восходящего потока, поэтому, чтобы научиться улавливать это ощущение, нужно упорно потренироваться. Потому что научиться распознавать уменьшение этого потока очень важно: ведь он несет в себе энергию Космоса, которая является источником нашего сознания. Но поскольку эта энергия как раз и питает сознание, то самому сознанию бывает трудно отследить уменьшение источника своего собственного питания. Ведь и сознание в таком случае как бы ослабевает и ему становится трудно ориентироваться в происходящих с ним процессах, а сравнивать не с чем.

Если нарушения восходящего потока говорят о грубом эмоциональном энергетическом воздействии, то нарушения нисходящего потока свидетельствуют о зомбирующем, программирующем воздействии патологической энергетики окружающего физического мира. Как вы и сами увидите, очень часто оба эти воздействия сочетаются воедино и мы имеем дело с комплексными поражениями собственной энергетической системы.

Социум — его политика, большое скопление народа, толпа, как мы уже говорили, порождает новую одушевленную энергоинформационную сущность, которая постоянно пытается поймать человека в свои сети, заставить его отдавать свою энергетику на ее нужды, сделать своей марионеткой, слепым исполнителем чужой воли. Если вы научитесь распознавать эти воздействия, если вам удастся почувствовать, что кто-то или что-то вас словно за руку ведет куда-то помимо вашей воли — то сможете и противостоять этому воздействию, а затем научитесь сознательно выстраивать линию вашего поведения так, как это нужно вам, а не как ждет от вас кто-то другой.

Нисходящий поток является источником высшей энергетики человеческого существа. Поэтому его нарушения могут привести к нарушениям логической сферы психики, когда человек начинает вести себя вопреки логике и здравому смыслу. Кроме того, нарушения нисходящего потока могут привести к таким заболеваниям, как шизофрения, деменция (слабоумие), а также нарушениям гормонального баланса, бесплодию и даже к онкологии.

ПРЕОДОЛЕНИЕ МУТАЦИЙ СОЗНАНИЯ

Научившись распознавать наличие поражений собственных энергетических потоков, вы значительно приблизитесь к своей цели — избавлению от болезней, к полноценной жизни, возможность которой дана от природы каждому человеческому существу. Но контроль за потоками — это еще далеко не все. Потому что на пути к способности распознавать поражения нас ждет одна, может быть, самая главная сложность. Дело в том, что человек, находясь в патологическом состоянии, как правило, не замечает своей патологии. Тут будет кстати вспомнить пословицу: «В чужом глазу соринку угляжу, а в своем и бревно не замечаю».

Этого самого «бревна» — собственного патологического состояния — мы обычно не замечаем, потому что привыкли к нему, оно стало для нас нормой. Ведь мы не знаем, как бы мы чувствовали себя без этого «бревна». И не можем этого узнать, пока не вытащим его. Так что нам просто не с чем сравнивать.

Присмотритесь внимательно к окружающим людям, и вы увидите, что они, как правило, не замечают тех своих проблем, которые для всех вокруг очевидны. Например, ваш коллега по работе находится все время в раздраженном состоянии, придирается по мелочам к окружающим, все время кричит и выходит из себя по пустякам. Но если вы его спросите, почему он такой сердитый, он, скорее всего, начнет вам агрессивно и злобно доказывать, что он вовсе не сердитый, что он хороший, добрый и вообще спокоен как никогда.

Или человек все время на кого-то или на что-то обижен и вечно пребывает в плохом настроении. Если вы ему начнете объяснять, что такое состояние — это патология, он вас не поймет, а только обидится еще больше, теперь уже и на вас. И вы наживете себе лишнего врага, хотя, может быть, искренне хотели человеку помочь и завели этот разговор из самых благих побуждений. Он не в состоянии понять и принять тот факт, что находится в патологическом состоянии, потому что не знает, что его состояние может быть другим, и не умеет переходить в это другое состояние.

Этот феномен называется мутацией сознания. Суть его в том, что восприятие человеком окружающего мира подспудно меняется при появлении каких-то воздействующих на человека внешних факторов. Человек попадает под эмоциональное воздействие чужой энергетики. Отследить, как произошло это воздействие, от кого оно исходило, как повредило его энергетику, он не может, как не могут этого сделать большинство людей. Это энергетическое воздействие меняет его центральный энергетический поток, «обесточивает» всю энергетическую систему человека. Человек этого опять же не замечает. Между тем вследствие повреждения энергетической системы меняется и настроение человека — оно становится подавленным или неестественно приподнятым, а он сам становится вялым, безжизненным или, наоборот, чрезмерно активным, возбужденным, впадает в истерику.

Если чуждая энергетика оказывает свое воздействие постоянно (как правило, это бывает именно так), то и настроение у человека постоянно будет искаженным. Он ведь не знает, что стал таким вследствие патологических воздействий извне. Он думает, что это и есть его истинная сущность, что он — вот такой, какой он есть, и другим быть не может. При этом человек может забыть, когда ему в последний раз было легко, радостно, когда у него было светло на душе. Он может забыть даже, какие ощущения испытывает человек, когда ему легко и радостно. Забыть — и не вспоминать и настолько погрязнуть в своем патологическом состоянии, что даже не испытывать потребности вернуться к норме.

И вот уже подавленность или раздраженность становится его привычным и естественным состоянием. Он даже не понимает и не осознает, что с этим надо что-то делать. Такой человек может, как заезженная пластинка, без конца твердить: «У меня все нормально. У меня нет проблем». Кстати, если человек так говорит, это первый признак, что проблем у него очень много, но он сам их не видит и, соответственно, отказывается от любой помощи.

Человек, научившийся контролировать состояние своей энергетики, никогда не поддастся накатившей вдруг откуда ни возьмись депрессии. Такой человек понимает, что депрессия — это не норма. Это патология, и, значит, надо просто поработать со своей энергетикой и эту патологию устранить. Человек, научившийся управлять своей энергетикой, всегда понимает, что из депрессивного состояния есть выход, и уверен, что он этот выход найдет. А потому он не отчаивается и, как бы ему ни было тяжело, не хватается за пистолет и не вскакивает на подоконник одиннадцатого этажа. Он спокойно ищет энергетическую причину своего депрессивного состояния и, найдя, устраняет ее.

Ведь, как мы уже узнали, энергетика — первооснова всего. Депрессия — только следствие патологических изменений в энергетической системе. Значит, и устранение депрессии надо начинать с нормализации энергетики.

Депрессия, подавленность, плохое настроение, обидчивость, раздражительность — это все мутации сознания. Если бы люди знали, что все это — не норма, а патология и что вернуться к норме может каждый, если захочет, — значительно сократилось бы число самоубийств. Люди не заливали бы свое горе вином, не искали бы спасения в наркотиках, не впадали бы в отчаяние.

Мутации сознания свойственны абсолютно всем. Как же научиться их распознавать, чтобы можно было с ними бороться? Для этого нужно прежде всего, чтобы эти состояния было с чем сравнивать. Так же как нельзя увидеть черную кошку в темной комнате, так и человеку, находящемуся в патологическом состоянии, невозможно признать свою патологию. Чтобы увидеть черную кошку, надо открыть дверь темной комнаты и выйти из нее на свет. Чтобы увидеть свою патологию, надо тоже как бы посмотреть на нее со стороны.

Такие тяжелые патологические состояния, при которых человек ни при каких условиях не может вспомнить себя другим, — все же большая редкость. Даже самый подавленный, забитый, или, наоборот, вышедший из себя и взвинченный человек хоть один раз в жизни, но обязательно чувствовал себя спокойным, уверенным, жизнерадостным, свободным.

Приготовьтесь: для того чтобы преодолеть мутации сознания, мы сейчас будем вспоминать вот такие положительные ощущения в своей жизни. И не только вспоминать, но и проявлять их в своем сознании, как фотоснимок в проявляющем растворе. А потом делать эти «снимки» яркими, четкими и прочно закреплять их в своей памяти. Иными словами — сейчас мы будем создавать у себя эталонное состояние. То самое состояние, по которому можно будет в любой момент сверить себя на предмет обнаружения патологии и к которому мы будем возвращаться во все критические и сложные моменты жизни.

Шаг 12. *Создание эталонного состояния сознания*

Эталонное состояние — понятие, конечно, для нас пока непривычное. Люди придумали эталонные меры веса, длины, времени и еще множество всяких эталонов и стандартов, по которым можно сверить все что угодно. Но вот о самом главном — о своем собственном внутреннем состоянии — почему-то забыли позаботиться. Эталона нормального человеческого состояния в этом физическом материальном мире вы нигде не найдете. Значит, остается одно — создать его самостоятельно, в самих себе.

Прежде всего для создания эталонного состояния надо понять, что ваше состояние в каждый момент времени почти полностью определяется сигналами, поступающими от органов чувств. Значит, эталонное состояние — это такое состояние, в котором от всех органов чувств поступают только приятные и гармоничные сигналы. Это состояние, в котором вам нравится все: физическая поза, в которой вы находитесь, зрительный образ, который воспринимают ваши глаза, звуки, которые вы слышите, запах, который вы обоняете, и вкус, который ощущаете. Для создания эталонного состояния нужно вспомнить все эти ощущения в комплексе. Хотя, в принципе, и вкус, и запах — это даже многовато, можно ограничиться из этих двух параметров каким-то одним.

Но и это еще не все: в полном эталонном состоянии все эти эталонные чувства должны быть дополнены еще и эталонным намерением. То есть вы должны войти в такое состояние, когда, испытывая все эти приятные чувства, вы еще и собираетесь сделать что-либо приятное.

Вам, может быть, кажется, что все это очень сложно и вы не сможете вообразить себе такое состояние? На самом деле ничего особенно сложного в этом нет, и вы сейчас сами в этом убедитесь. Ведь если вы как следует покопаетесь в своей памяти, то обязательно вспомните какой-то момент, когда вы были именно в таком состоянии. В тот момент это было для вас настолько просто и естественно, что вы, может быть, даже и не обратили на это внимания и давно об этом забыли. Но теперь пришла пора заняться воспоминаниями.

Может быть, это было в вашем детстве, может быть, в юности, а может, и в более зрелом возрасте, — но было обязательно. В любом случае это был период вашей жизни, когда вы были здоровы, чувствовали себя счастливым, независимым, верили в себя, в свои силы. Этот период мог быть очень коротким, но он был у всех, в том числе и у вас.

Вспомнили? А теперь вспомните только один момент из того периода — но очень приятный для вас момент. Вспомните его без тоски, сожалений и ностальгии, потому что этот момент не ушел бесследно, и мы сейчас как раз будем делать все для того, чтобы его вернуть и сделать ваши забытые приятные ощущения нормальным вашим состоянием.

Возможно, это было так: юг, лето, теплое солнечное утро, у вас начало каникул или отпуска, вы веселы, здоровы, у вас все прекрасно, вы чувствуете себя легко и свободно. Вы в полном одиночестве на морском берегу, вам никто не мешает, никто не отвлекает от вашего приятного состояния. Да и вам никто не нужен, вы в удивительном состоянии полной самодостаточности, когда не терзает никакая тревога, ничто не беспокоит и ничего для счастья больше не нужно — и так все хорошо. Приятно пригревает солнце, теплая морская вода у ваших ног шуршит о прибрежную гальку, вокруг ни с чем не сравнимые запахи южных растений. Вы собираетесь войти в эту прозрачную ярко-голубую воду и предвкушаете удовольствие от купания.

Это могло быть и по-другому: весна, утро, звенит капель, поют птицы, а у вас поет душа. Вы стоите на пороге своего дома, вы расслаблены, вдыхаете полной грудью, любуетесь свежей зеленью деревьев, радуетесь, что пришла весна и тепло, что в вашей жизни все только начинается. А сейчас вы собираетесь пойти в магазин, чтобы купить себе вещь, о которой давно мечтали.

И в том, и в другом примере налицо и эталонные чувства, и эталонные намерения. Только учтите: очень важно, чтобы вы вспоминали эти моменты не теоретически и отстраненно. Нужно снова погрузиться в то состояние, нужно вспомнить именно свои ощущения. Вспомнить и запахи, и звуки, и картину перед глазами, постараться восстановить в собственном теле то ощущение легкости, свободы, покоя, расслабленности. Тогда в вашем воспоминании будет полный комплект нужных ощущений: и поза, и зрительный образ, и запах, и намерение. Но самое главное — нужно сосредоточиться на своем энергетическом состоянии в тот момент. Ведь если тогда вы ощущали счастье, благополучие, покой, свободу и при этом были здоровы — это говорит как раз о том, что с вашей энергетикой в тот момент все было в порядке.

Вызвав в себе это воспоминание хотя бы один раз, вы уже сможете в дальнейшем так натренироваться в вызове этого воспоминания, чтобы довести прием вхождения в это состояние до автоматизма. Может быть, вам будет достаточно вспомнить какую-то одну деталь — например, запах, — чтобы вся картинка немедленно встала перед глазами и в воображении мгновенно всплыло все нужное состояние в комплексе. Наверняка с вами нечто подобное уже бывало: вот вы случайно уловили в толпе запах знакомых духов, и сразу память выдала вам целый кусок вашей жизни, когда вы пользовались этими духами, или эпизод, когда вы ощущали этот запах. Вы услышали давно забытую песенку — и сразу заработали ассоциации: вы мгновенно вспомнили, где вы слышали эту мелодию раньше, какие люди были рядом в тот момент, с каким событием это было связано.

Вот так же по одному признаку вы можете научиться вызывать в себе свое эталонное состояние. Теперь оно всегда будет с вами, готовое явиться по первому зову. Оно «записано» в вашем воображении навсегда. А вы уже знаете, что любые образные картинки, воспоминания, которые мы можем вызвать при помощи воображения, «живут» где-нибудь, а в астрале. И из астрала их всегда можно извлечь, чтобы потом возвратить на место в целости и сохранности.

Вызвав испытанное вами когда-то гармоничное и приятное состояние из астрала, ощутите его кожей, мышцами, порами, фибрами души, мозгом — всем организмом. Впустите в себя это состояние. Вот он — эталон. Вот она — норма. Теперь вы без труда сможете отличать норму от патологии. Сравнивая свое состояние с эталоном, вы всегда, в любой момент, можете зарегистрировать постороннее воздействие, что позволит вам сохранить удачу и здоровье. Научившись в каждый момент соотносить свое состояние с эталоном, доведя этот процесс до автоматизма, вы поставите защиту на свое сознание — защиту от мутаций.

СГЛАЗ, ПОРЧА, ПРОКЛЯТИЕ — ЭНЕРГОИНФОРМАЦИОННЫЕ ПОРАЖЕНИЯ

Итак, подведем итоги. Вы сейчас учитесь полному контролю над своим сознанием, умению защищать его и освобождать от патологических связей. Вы уже знаете, что значит нормальное течение энергоинформационных потоков в вашем теле. Вы можете усиливать и уменьшать их по своей воле. Вы знаете способ вызова из астрала эталонного состояния вашего сознания и вашей энергетики для оперативного сравнения с тем состоянием, в котором вы сейчас находитесь.

Это означает, что вы научились отличать норму от патологии. Таким образом, вы в любой момент можете проконтролировать себя и сориентироваться, надо ли вам принимать какие-либо меры по приведению себя в норму.

Вы теперь знаете, как обнаружить, что поток рассеивается, что течение его нарушено, — вам знакомы ощущения в критических точках, по которым это можно распознать. Вы также знаете, что нарушения нисходящего потока связаны с тем, что вами манипулирует патологическая энергетика человеческого сооощества. Очень часто это происходит, когда социум, как единая одушевленная структура, хочет использовать вас как пешку в какой-то своей игре.

Из следующих книг вы узнаете, как после такого программирующего воздействия общество начинает собственную игру — разворачиваются события, в которых неподготовленный человек запросто может пропасть (и уж во всяком случае будет использован в чужих целях), а подготовленный и грамотный (каким вы сейчас уже становитесь) использует их себе во благо и становится только сильнее — если, конечно, избирает правильную линию поведения. Ведь человек с укрепленной энергетикой устойчив даже к самым жестким воздействиям социума.

Вы также усвоили, что повреждения восходящего потока связаны с грубым прямым воздействием чьей-то мощной энергетики. Это именно то воздействие, которое приводит к сглазу, порче, проклятию.

Расшифруем эти понятия.

Сглаз — пробой эфирного тела, приводящий к потере энергии.

Порча — внедрение чуждых патологических энергоинформационных конструкций в эфирное тело человека.

Проклятие — мощное подключение к какой-либо энергоинформационной структуре или сущности, приводящее к непрекращающейся потере энергии, опасной не только для здоровья, но и для жизни. Не говоря уже о том, что проклятие начисто изгоняет из жизни удачу и тяжело сказывается на карме не только самого человека, но и всего рода: ведь проклятие часто преследует людей на протяжении нескольких поколений.

Вот как может быть опасно грубое воздействие чужой мощной энергетики на восходящий поток. Поэтому очень важно распознать и нейтрализовать такое воздействие немедленно, пока оно не начало делать свое разрушительное дело.

Так что истории про ведьм, про дурной черный глаз — это далеко не сказки. То, что в народе называют дурным глазом, — это на самом деле способность к мощным энергетическим воздействиям на чужие эфирные тела.

Не все эти вещи всегда делаются сознательно. Конечно, и сейчас, в наше время, есть множество колдунов, ведьм, бабок, особенно в деревнях, которые знают разные магические приемы, доставшиеся им по наследству, — приемы, позволяющие навести порчу на соседку, если она вдруг пришлась не по душе, попортить ей здоровье, или сгубить урожай, или вызвать падеж скота, или навлечь ряд других неприятностей типа пожара, грабежа и т. д. Кроме того, сейчас на прилавках магазинов лежат тысячи книжек, из которых можно узнать действующие приемы как белой, так и черной магии, и очень большое количество людей овладели всем этим на практике. В самом деле, а почему бы с помощью магии не убрать конкурента в бизнесе, не разорить преуспевающую фирму, не разрушить чье-то процветающее дело? Уверяю вас, все эти вещи с большим или меньшим успехом делаются сегодня прямо у вас на глазах, средь бела дня, гораздо чаще, чем вы можете это себе вообразить.

Да что и говорить, люди у нас всякой литературы начитались, но в магическом отношении все же остались в основном безграмотными: они не знают, что подобными деяниями отягощают карму — не только свою, но и своих детей, что за это рано или поздно придется отвечать.

Но очень часты в наше время и случаи, когда энергоинформационные поражения наводятся неосознанно. Люди, которые это делают, не являются профессиональными колдунами и не читали книжек по магии. Они просто обладают способностями к мощным воздействиям негативной, отрицательно заряженной энергетикой. С так называемыми бытовыми сглазами сегодня приходится сталкиваться на каждом шагу.

Помню, даже в нашем отделе одну молодую сотрудницу пришлось избавлять от сглаза, наведенного целым женским коллективом. «Вина» этой женщины состояла лишь в том, что она пришла на работу (в столовую) в модном экстравагантном платье, которое было, может быть, несколько ярче, несколько короче и несколько больше декольтировано, чем того требовала деловая рабочая обстановка военного городка. К тому же все ее коллеги были женщинами, которые казались, скажем так, несколько взрослее и не такими привлекательными, как пострадавшая модница. К концу рабочего дня женщину чуть не увезли с сердечным приступом. По счастью, более или менее придя в себя, она обратилась ко мне за помощью, и помощь эту оказывать было еще не слишком поздно: сглаз не успел запустить необратимые процессы в организме.

Бытовые сглазы очень часто наводят на своих соседей по дому «мирно» сидящие на скамеечке у подъезда бабушки. Особенно если они любят пообсуждать всех проходящих мимо и позлословить на их счет. Не случайно в народе этих бабушек окрестили «страшным судом». Сглаз часто сопровождает зависть: у завистника всегда дурной глаз. А потом мы не можем понять, почему нам так плохо, откуда взялась болезнь? Но все на самом деле просто и объяснимо, надо только знать реальность энергоинформационных взаимодействий — реальность, в которой нам всем приходится жить с самого рождения. Реальность переполненного мира.

Поэтому мы с вами будем грамотными. И не будем бить и калечить кого ни попадя своей неконтролируемой энергетикой, как это делает большинство людей. Мы возьмем свою энергетику под контроль, чтобы и самим освободиться, и другим вреда не нанести.

Как защититься от этих непосредственных воздействий, как нейтрализовать их — об этом вы узнаете из следующей главы.

Глава 6

Диагностика и удаление агрессивных воздействий

ЗАЩИТА ОТ ЭНЕРГОИНФОРМАЦИОННЫХ ПОРАЖЕНИЙ

Мы все живем в агрессивной среде и постоянно подвергаемся энергетическим атакам — даже если этого не замечаем и ничего об этом не знаем. Неподготовленный человек чаще всего замечает лишь последствия этих воздействий, которыми являются болезни, неудачи, собственное надекватное поведение. Крайне агрессивны все политические структуры и общественные организации.

В предыдущей главе речь шла о том, как распознавать, имеет ли место факт агрессии извне, пострадала ли от него ваша энергетика. Теперь настало время узнать, что же делать с последствиями таких непрошенных вторжений, как от них избавляться и как приводить себя в норму после энергоинформационных поражений.

Если вы будете двигаться верным путем, если вы будете помнить о том, что вы в первую очередь существо энергоинформационное и только потом социальное, если будете поддерживать правильный энергообмен с Землей и Космосом и научитесь освобождаться от патологических связей с физическим миром —

то постепенно вы обязательно укрепите свою энергетику так, что вас не пробьет никакая агрессия, вы станете неуязвимым. Собственно, если вы овладеете всеми методиками, изложенными в этом томе, то так и будет. Но в процессе работы над своей энергетикой вы все еще остаетесь уязвимым. Поэтому атаки надо вовремя распознавать и сознательно их отражать.

Очень часто эти энергетические воздействия не столь и значительны. Мы каждый день встречаемся со множеством таких мелких «нападок» и внедрений в нашу энергетическую оболочку, которые не могут причинить серьезного вреда здоровью. Но вот нормальному процессу роста, развития, становления энергетики, процессу приобретения силы даже такие мелкие «камушки» могут помешать. Аллегорически можно сказать так: хочешь пробежать марафонскую дистанцию — замечай и мелкие камни на дороге, иначе неизбежно переломаешь ноги.

Итак, вы уже знаете, что атаки бывают грубые, эмоциональные — поражающие восходящий поток энергетики, и более тонкие, внедряющиеся в структуры сознания в виде посторонних программ и кодов. В этой главе мы будем говорить и о тех и о других.

Сначала более подробно поговорим о том, какие вообще бывают атаки. Итак, вот классификация энергоинформационных атак:

— прямой энергетический пробой (сглаз) и энергетические присоски (вампиризм);

— программирование (народ называет это явление наговором и емким словом «морок»);

— вложение в эфирное тело самостоятельной энергоинформационной конструкции (порча);

— подключение к независимой энергетической сущности или структуре (проклятие).

В данной классификации атаки перечислены, так сказать, в нарастающем порядке, то есть от самой «безобидной» (сглаз) к самой опасной (проклятие). Если сглаз обнаружить и устранить достаточно легко, то чем дальше — тем сложнее. И все же ничего невозможного для нас с вами не существует. Поэтому откинем прочь все страхи и сомнения и смело посмотрим в глаза опасности с твердой уверенностью, что победа будет за нами.

Начнем с самого простого.

Шаг 13. Прямой энергетический пробой и вампиризм — диагностика и противодействие

Вы уже знаете, как определить, что пришла пора поискать «неполадки» в своей энергетической системе: по ощущению отступления от эталонного состояния, по состоянию критических точек восходящего и нисходящего потоков.

В случае сглаза резко рассеивается нисходящий поток, а при присоске (вампиризме) ощутимо падает восходящий поток. Прямой энергетический пробой вызывается сильным потоком энергии, проистекающим из Аджна-чакры человека, который находится для вас в зоне непосредственной видимости. Этот поток может пробивать эфирное тело, и через пробой теряется энергия нисходящего, космического потока (как правило, «утечка» происходит в верхней половине туловища) — тогда мы имеем дело со сглазом. Если же поток из чьей-то Аджна-чакры как бы присасывается к вашим нижним чакрам, он начинает инициировать массивную потерю энергии восходящего потока — и это уже вампиризм.

Обнаружив рассеивание того или другого потока, надо иметь в виду, что об энергетических атаках говорят еще и определенные симптомы вашего организма. Бывает так, когда дело еще не дошло ни до болезни, ни даже до едва ощутимого физического недомогания, но вы чувствуете: что-то не то. Обратите внимание на некоторые ощущения, по которым тоже можно поставить диагноз. Так, при сглазе на человека находит как бы некоторое оцепенение, он становится каким-то отсутствующим, впадает в прострацию, уходит в себя и внутренне застывает. При вампиризме резко ухудшается настроение, появляется слабость, как будто вы только что проделали тяжелую физическую работу — копали огород или разгружали вагоны. А на самом деле всего-то поболтали полчаса с приятельницей.

Будьте внимательнее к своему телу, научитесь замечать даже мелкие симптомы, о которых вы раньше говорили: «А, ерунда». Теперь вы знаете, что это не ерунда, это тело вам сигналит: прими меры. И если вам вдруг стало как-то не по себе, когда не знаешь, куда голову приклонить, как встать, как сесть — и так, и этак пристраиваешься, а все нехорошо, все неудобно, — то знайте: это неспроста. Тело первым — раньше, чем разум — начинает ощущать дискомфорт от посторонних воздействий. И если вы будете

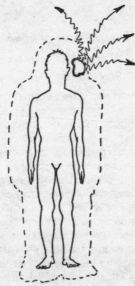

Рис. 41. Сглаз. Язва, дыра, незаживающая рана в оболочке эфирного тела заставляет человека терять энергию Космоса.

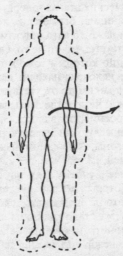

Рис. 42. Вампиризм. Невидимая присоска пульсирует, выкачивая из человека жизненно необходимую энергию Земли.

уважать свое тело, начнете ему доверять, оно само вам подскажет, где сидит враг. Ведь такие вещи, как вампиризм и сглаз, оборачиваются не просто ухудшением самочувствия, а целым букетом заболеваний — от нейродермита и вегетососудистой дистонии до опухолей и туберкулеза.

Итак, с помощью всех вышеназванных методов вы без труда обнаружите у себя и сглаз, и присоску. Кстати, ваших знаний и умений уже вполне достаточно, чтобы поставить диагноз не только себе, но и другому человеку. Ведь вы уже учились ощущать поле рукой. Так вот, если вы будете «ощупывать» рукой поле другого человека и обнаружите в его поле как бы «яму», где теряется ощущение упругости и рука куда-то проваливается, — это и есть не что иное, как сглаз.

Если же ваша рука попадет в область, где прикрепилась присоска, то ладонь почувствует покалывание и вместо ощущения упругости встретится с чувством разрыхленности поля.

Если вы уже хорошо научились видеть эфирное тело и сумеете настроить свой глаз на восприятие ауры, то увидите, что при присоске аура рассеивается в нижней половине эфирного тела (под пупком или на том же уровне со стороны спины), а при сглазе аура утончается в верхней части тела.

Хочу только предупредить: если вы обнаружите такие поражения у другого человека — не торопитесь его лечить, заделывая дыры своей собственной энергетикой. Как мы уже говорили, без специальной подготовки это может быть опасно для вас. Да и человек может невольно попасть от вас в зависимость. Чтобы этого не произошло, научите его справляться с присосками и сглазами самостоятельно. Но сначала вы сами должны научиться это делать. Сейчас мы с вами и будем учиться этому.

Существует несколько методов противодействия сглазу

1. Принудительная нормализация нисходящего потока. Для этого сначала надо настроиться на эталонное состояние, усилием воли сбросить с себя то оцепенение, которое неизбежно порождает сглаз, а затем буквально проталкивать поток вниз вдоль позвоночника. Этот метод поможет, если сглаз не слишком сильный, наведен не очень энергетически мощным человеком, чей «дурной глаз» не слишком злобен. При нормализации хода нисходящего потока «дыра» заполнится энергией и закроется сама.

2. Если сглаз более серьезный и первый метод не помог, срочно вспоминайте, как вы удлиняли эфирное тело своей руки, дотрагиваясь им до противоположных предметов. Тогда вы делали не что иное, как направляли на два-три метра вперед поток своей энергии. Точно так же вы можете увеличить любую часть сво-

его эфирного тела. Направляете свою энергию в пострадавшее от сглаза место, протягивая туда эфирное тело, заполняете им дыру (которую сглаз создает, как мы знаем, в области Вишудхи или Аджны). Делайте это до тех пор, пока не появится четкое ощущение восстановившейся границы вашей энергетической оболочки.

3. Если вам удалось обнаружить сглаз в процессе его наведения, вам крупно повезло: можете проверить свои энергетические возможности тут же, на месте. Например, увидели в толпе какую-то бабку зыркучую (случайность? Случайностей не бывает!), которая так и протыкает вас глазами, явно ей что-то в вас не нравится, и почувствовали к тому же, как под ее взглядом вы впадаете в необъяснимое оцепенение, а ваша аура просто-таки тает, — действуйте, не теряя времени. Проще всего направить агрессору в Аджна-чакру мощный поток энергии из своей Аджна-чакры. Это вызовет временную блокаду атакующего воздействия, что позволит вам ретироваться с минимальными потерями.

Только, пожалуйста, не переусердствуйте. Не давите чрезмерно своей энергетикой на несчастную старушенцию. Иначе вы будете похожи на того смельчака, который, решив припугнуть преследовавшего его хулигана милицейским свистком, так увлекся, что помчался с криком и угрозами вслед за уже улепетывающим нападавшим. В таком случае вы сами начинаете играть роль «дурного глаза», приобретая навыки причинения людям вреда без нужды. Предупреждаю: карму потом исправлять будет тяжело.

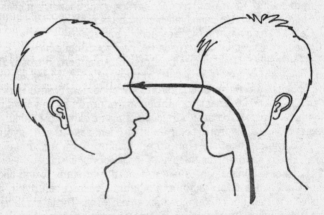

Рис. 43. Прямая атака — мощный поток энергии из вашей Аджна-чакры блокирует выплеск посторонней энергетики.

Теперь познакомимся с **методами противодействия вампиризму**.

1. Если вампир не очень сильный и присосался не так давно, избавиться от него достаточно легко при помощи такого простого приема, как временная остановка восходящего потока. Для этого, как вы уже знаете, достаточно всего лишь задержать дыхание на вдохе. Присоска при этом отпадет сама собой.

2. При не слишком глубоко укоренившейся присоске, если она установлена недавно, также достаточно сосредоточиться на ощущении границ своего эфирного тела и проследить их целостность и нерушимость. Сосредоточившись на своем эфирном теле и тщательно обследовав его границы, вы обязательно почувствуете, где они нарушаются, в каком именно месте происходит отток энергии (как вы уже знаете, вампиры подключаются к нижним чакрам — Манипуре или Свадхистане). Почувствовав место оттока, вы можете направить туда дополнительную энергию (опять же вспомните ощущения, которые у вас были при удлинении эфирной руки). Делайте это до тех пор, пока ощущения восстановившейся целостности границ эфирного тела не станут ясными и четкими.

3. Если предыдущие два метода не помогли, значит, вам достался вампир достаточно сильный и укорениться он успел весьма глубоко. В таком случае в ход надо пускать «тяжелую артиллерию». Делается это следующим образом.

Лучше будет, если вы останетесь в одиночестве в тихой комнате, расслабитесь, прогоните посторонние мысли. После чего вам предстоит оборвать, отрезать или каким-то другим образом отсечь от себя присоску. Сосредоточьтесь на ощущении своего эфирного тела, обследуйте его границы, ощутите место присоски, по которой происходит отток вашей энергетики. Теперь ощутите эту присоску в виде вполне материального жгута, веревки, каната — как вам подскажет ваша интуиция. Далее, опять же согласовываясь с собственной интуицией, действуйте так, как действовали бы в реальности, если бы вам надо было этот канат перерезать. Можете пользоваться любыми инструментами, какими только пожелаете, — взять, например, меч, пилу или топор и отсечь присоску. Если же это ни мечу, ни топору оказалось не под силу — ну что же, воспользуйтесь лучом лазера, огнеметом, ракетной установкой. В общем, в ход может пойти любое оружие, которое вы только сможете четко и ясно ощутить, — оно будет смоделировано вашим эфирным телом. Отсекайте, отрубайте, отрезайте присоску до тех пор, пока у вас не появится четкое ощущение ее отделения и восстановления нормальной границы вашего эфирного тела.

Но надо иметь в виду следующее: отсечь присоску — это еще не все. Потому что даже после отсекания она по-прежнему будет тянуться к вам в пространстве, так и норовя присосаться обратно. Чтобы предотвратить повторное закрепление вампира, можно замкнуть отрезанный жгут с Манипура-чакрой вампира, образовав такую своеобразную петлю. Если вам это сделать почему-либо не удается, можно отрезанную присоску погрузить глубоко в землю — так глубоко, как только сумеете достать (естественно, в своем воображении, реальную яму рыть не надо). Вампиру после этого вряд ли захочется снова тянуться к вам своими «щупальцами».

4. Если вам удается распознать вампира в тот момент, когда он только устанавливает присоску (например, разговариваете с каким-то человеком, и вдруг чувствуете, как ни с того ни с сего наваливается усталость), проще всего в целях самообороны поступить так: немедленно создать мощный энергетический поток из своей Аджна-чакры, словно луч прожектора, и этим лучом соединить эфирное тело вампира с эфирным телом любого находящегося поблизости объекта. Подойдет для этой цели и дерево, и животное, и даже случайный прохожий. Вреда вы этим никому не причините: данная связь почти сразу разрушится, но вы за это время успеете выйти из-под влияния вампира.

И все же данным методом надо пользоваться очень осторожно: его можно применять только в том случае, если вы уверены, что вас «вампирят» осознанно, что человек прекрасно понимает, что делает, потому что привык получать подпитку за счет других. Иначе вы выйдете за пределы необходимой обороны. Если человек подключился к вам случайно, просто потому, что он в данный момент энергетически истощен, то его вампиризм неосознанный. И для такого человека ваш «луч прожектора» может быть опасен, так как в этом случае вы делаете не что иное, как наводите сглаз. Опять же хочу напомнить о том, что этим вы можете нанести вред и себе, попортив свою карму таким неблаговидным деянием.

Система ДЭИР
Ступень 1

Шаг 14. Программирование — диагностика и противодействие

Следующий этап, которым вам предстоит овладеть, — методы противодействия программированию.

Как вы уже знаете, программирование вызывается энергоинформационным потоком нижних чакр, направленным в верхние

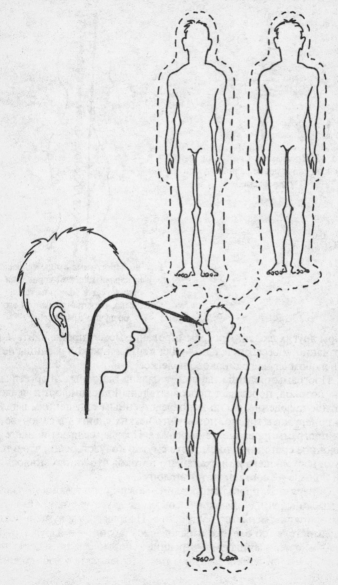

Рис. 44. Потоком энергии из своей Аджна-чакры вы, словно лазером,
соединяете воедино эфирные тела нескольких человек.

Рис. 45. Программа. Сгусток поля,
по своей значимости равный чужой
микросхеме.

Рис. 46. Программа в теле человека.
Как паразитический червь, она
процветает в эфирном теле
человека, перепрограммируя его
созвучно самой себе.

чакры других людей. Программирование может производиться и осознанно, и бессознательно — для жертвы никакой разницы нет, ей в любом случае одинаково нелегко.

Программирование нарушает баланс основных энергетических потоков, порождает подсознательный дискомфорт и неадекватное поведение, но по непосредственным ощущениям в теле это обнаружить трудно, потому что четких сдвигов в самочувствии программирование не вызывает. Правда, если вы войдете в эталонное состояние, то сможете смутно почувствовать, что в течении восходящего и нисходящего потоков что-то изменилось и они больше не соответствуют эталону.

Обнаружить программирование можно и по такому признаку: мысли вдруг начинают течь совсем по другому руслу, и без видимых причин меняется настроение. Например, вы думали о хорошей погоде, об отпуске и радовались жизни — и вдруг что-то неуловимо переменилось, настроение испортилось, погода уже не радует, а мысли пошли только о том, что зарплата у вас маленькая и ту платят нерегулярно.

Но самое яркое проявление программирования заключается в том, что оно подталкивает к действию. Причем к такому действию, о котором сам человек потом будет говорить: «Как я мог это сделать?» Или: «Где была моя голова?» А голова была на месте, но подчинена была чужой программе, которая буквально вынуждала человека поступать вопреки самому себе, делать то, что делать не нужно и даже вредно. В этот момент человека как будто захлестывает и тащит за собой какая-то волна, с которой он не в силах справиться. Причем в глубине души, как правило, у человека остается смутное едва проявленное ощущение, что он делает что-то не то. Но мощная чужая программа подавляет этот внутренний голос, не дает ему быть услышанным.

Приобретя достаточный опыт видения ауры, вы сможете увидеть, что происходит в сам момент программирования: оборванные, ни с чем не связанные клочки ауры — программирующие энергоинформационные структуры — очень быстро поглощаются верхними чакрами человека, подвергающегося программированию.

При некотором опыте вы сможете распознавать людей, подвергшихся программированию. Свежие последствия программирования (наложения наговора или морока) можно заметить по тому, что потоки энергии человеческого тела никак не изменяются в зависимости от вдоха и выдоха. И кроме того, запрограммированный человек ведет себя как марионетка, как будто он не является самому себе хозяином. Его поступки нелогичны, не имеют каких-либо объяснений, он сам не знает, чего хочет, и действует как будто под влиянием каких-то абсолютно неразумных порывов. Про таких людей говорят, что у них «нет царя в голове». Правильно, царя в голове у них нет, потому что царем, господином для них становится кто-то другой — тот, кто задает программу.

Распознав такого человека, вы можете оказать ему первую помощь: научить методам противодействия программированию. Но сами по отношению к другому эти методы не применяйте, чтобы он не впал в зависимость уже от вас. Применяйте их только по отношению к себе, а другим дайте информацию, чтобы они помогали себе сами.

Снятие программирования

Итак, обнаружив программирование, вы должны немедленно усилить оба потока до предела — как восходящий, так и нисходящий. Находитесь в таком режиме минут пять—десять, и мощный ток вашей энергетики сам удалит обрывки посторонних программ. Если программирования еще не произошло, но вы почувствовали опасность того, что это может случиться, можно воспользоваться этим же методом, он предохранит вас от внедрения посторонних программ.

После такого усиления мощности потоков нужно войти в эталонное состояние и отрегулировать мощность потоков до нормального гармоничного уровня.

Затем ненадолго расслабьтесь и проведите повторную проверку своего состояния. Вдруг что-то осталось и продолжает свою черную работу? Проводите данное упражнение по усилению потоков до тех пор, пока посторонних программ не останется. Подойдите к этому крайне серьезно — ведь вы не знаете, что за программу вы подхватили. Вдруг она не только подтолкнет вас к нелогичным поступкам, но еще и принесет с собой серьезную болезнь или нацелит вас на саморазрушение?

Лучше будет, если вы займетесь не только усилением потоков, но еще и осознаете, куда вас толкает чуждая программа, какие поступки, вам не свойственные, заставляет совершать. Подумайте, как все это отличается от того, чего хочет ваша истинная сущность.

Мы уже вспоминали с вами те случаи, когда нас кто-то будто «затаскивает» в гости, куда нам совсем не хочется идти. Но какая-то сила против нашей воли туда нас ведет. Такие вещи опять же очень часто случаются с молодыми людьми, особенно с хорошо воспитанными и послушными, для которых чужое мнение всегда авторитетно, особенно если это мнение старшего по возрасту человека. Имейте в виду: даже старшие и более опытные люди не всегда знают, что лучше именно для вас. Об этом лучше вас никто не знает, да и не может знать. Поэтому, если кто-то настойчиво зовет вас туда, куда вы идти не хотели, или настаивает на том, чтобы вы поступали именно в этот институт, шли именно на эту работу, очень важно вовремя остановиться и понять: я туда не хочу, потому что я хочу заняться совсем другим делом.

А если кто-то вам внушает, что он лучше знает жизнь, и при этом навязывает свой образ жизни и свою модель поведения, знайте: вы имеете дело уже с сознательным программированием. Усиливайте потоки в присутствии такого человека и стойте на своем. Но не из пустого упрямства, а только если действительно чувствуете, что вам нужно нечто совсем другое. Избегайте того, чтобы поступать наоборот только из упрямства, из чувства протеста и «назло» кому-то, — так вы не вырветесь из-под чужого программирующего влияния, а только наломаете дров, в очередной раз предприняв шаги, которые вам совершенно не нужны.

Шаг 15. Внедрение в эфирное тело — порча. Диагностика и противодействие

Следующее по сложности поражение — внедрение в эфирное тело посторонних энергоинформационных конструкций, или порча. Порча, к счастью, встречается значительно реже, чем сглаз или программирование. Ведь если и сглаз, и программирование могут стать результатом случайного, неосознанного воздействия, то порча не может возникнуть случайно. Порча — это всегда результат чьего-то злонамеренного воздействия, оформленного в законченное желание зла другому.

Это не значит, что порчу могут наводить только черные маги и колдуны. Ежедневно наводят порчу друг на друга множество наших с вами сограждан, обычных людей, которые просто не ведают, что творят, потому что не знают, что их деяния называются порчей. В бытовых ссорах, к несчастью, люди очень часто бросаются репликами типа «чтоб ты сдох», «чтоб у тебя руки отсохли», «чтоб ты упал и разбился», «чтоб тебя кондрашка хватила», и т. д., и т. п. во множестве вариантов. Результат таких

Рис. 47 Порча.
Энергоинформационный организм, несущий свою программу и действующий во благо себе.

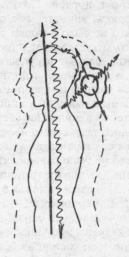

Рис. 48. Порча в теле человека.
Словно опухоль, она кормится его энергией, разрушая все вокруг себя.

«невинных» речевых оборотов — порча. Данные злые пожелания, особенно если они произнесены эмоционально, с жаром, с пылом (а по-другому они и не произносятся), оформляются в самостоятельные энергоинформационные конструкции и внедряются в эфирное тело человека, в чей адрес были направлены.

Порча может как губить здоровье, так и нести неудачу в определенных областях отношений с окружающими людьми, и даже перекидываться на других. (Знаете, есть люди, о которых говорят: «Они приносят несчастье». При этом люди сами по себе могут быть добрые и хорошие — но порченые.) Почувствовать в себе порчу достаточно сложно. Ведь она невидима для своей жертвы и у нее нет каких-то четких и определенных симптомов. Она может проявляться в каждом индивидуальном случае по-разному. Надо лишь иметь в виду, что она всегда вызывает изменение предыдущего состояния. Но вся беда в том, что эти изменения очень похожи на естественные.

Если в предыдущих случаях энергоинформационных атак воздействия всегда сопровождаются неестественными изменениями в циркуляции потоков, то здесь, на первый взгляд, как будто ничего не происходит. У вас может измениться настроение, перемениться образ мыслей, но вы можете не заметить, что это связано с порчей. Поэтому, чтобы обнаружить порчу, надо, повторюсь, внимательнее относиться к своему состоянию. Все то, чего не было в вашем состоянии раньше и вдруг появилось невесть откуда, может означать порчу. Особенно должно насторожить, если вас вдруг начинает что-то смутно мучить, тревожить, а что — непонятно, или если вы ни с того ни с сего впадаете в уныние и мрачные мысли.

Самым надежным способом обнаружения порчи является вхождение в эталонное состояние и тщательная ревизия своего эфирного тела, своего настроения, своих мыслей. Глядя на себя как бы со стороны, из эталонного состояния, зафиксируйте все то, чего не было раньше, что не характерно для эталонного состояния. Обследуйте границы своего эфирного тела. Если вы ощутите где-то нарост или как будто темный сгусток, инородное тело в вашем эфирном теле, — это порча. Обследуйте это инородное тело, определите по ощущениям его форму, цвет, размер. Именно оно и является источником неожиданно возникших черных мыслей, уныния, состояния безысходности, тревоги, беспокойства, которые несет с собой порча.

Если вы достаточно разовьете свою чувствительность, то сможете ощутить порчу и у другого человека, — в этом случае она воспринимается как локальное разрастание в эфирном теле, очень похожее на раковую опухоль. Иногда это разрастание воспринимается даже как нечто живое — как энергоинформационный паразит, подселившийся к человеку и живущий за его счет.

Порчу можно ощутить и при обследовании эфирного тела рукой: обычно это выступ, нарост, сгусток, в котором увязает рука.

СПОСОБ ПРОТИВОДЕЙСТВИЯ ПОРЧЕ ТОЛЬКО ОДИН: ЭТО МЕТОД ОТТОРЖЕНИЯ

Расслабьтесь, сосредоточьтесь, обследуйте свое эфирное тело, обнаружьте этот нарост, сгусток, «опухоль», откуда исходит нежелательное изменение вашего состояния. Почувствуйте плотность этой инородной энергоинформационной конструкции, ее размер. Обследуйте эфирное тело вокруг сгустка и ощутите, как эфирное тело непосредственно вокруг области порчи разрыхляется. А теперь начинайте медленно и постепенно уплотнять границы эфирного тела под этой разрыхленной областью, примыкающей вплотную к области порчи. Направьте туда для этой цели максимум своей энергии. Одновременно над самой конструкцией и под ней продолжайте разрыхлять поле — тем методом, каким вам удобнее. Можете взбивать его как пену, можете мысленно рассеивать как сквозь сито, уменьшая плотность. Когда почувствуете, что вокруг области порчи эфирное тело достаточно разрыхлено, а под областью порчи плотность границы эфирного тела достигла максимума, почувствуйте, как эта плотная граница отделяет порчу от вас. Порча еще в эфирном теле, но она уже не соединена с ним, образовалась как бы прослойка воздуха, которая отделяет постороннюю энергоинформационную конструкцию от сформированного вами плотного участка эфирного тела.

А теперь соберитесь, усильте до предела восходящий и нисходящий потоки и мысленно (в астрале) оттолкните порчу плотной границей эфирного тела, образованной вами, сквозь ту разрыхленную прослойку, которую вы тоже создали. Пусть порча отскочит от вашего эфирного тела, как мячик от упругой резиновой стенки, и вылетит наружу.

Очень важно заранее наметить тот объект, куда вы направите выброшенную порчу, чтобы она не причинила вреда другим и не вздумала возвращаться к вам обратно. Лучше всего, если это будет проточная вода или открытый огонь. Подойдет и струя воды из-под крана, и газовая горелка. Можно спустить порчу в унитаз, можно утопить ее в реке. Вода смоет всю заложенную в ней ин-

Рис. 49. Отторжение порчи. Отдайте ей немного собственной энергии — и потеряйте этот пузырь вместе с обжирающимся паразитом.

формацию и растворит ее. В крайнем случае, за неимением другого, можно перевести порчу в камень.

Есть и другие методы нейтрализации порчи — в народе известны методы отливания ее в воск или перевода на домашних животных и птиц: куриц, кошек и собак. Мы этого делать все же не рекомендуем, потому что использованный воск трудно утилизировать (мало ли к кому он попадет в руки, вдруг к ни в чем не повинному ребенку), а животных мучить негуманно, да и кармические осложнения могут потом возникнуть.

Когда вы избавитесь от порчи, заровняйте эфирное тело, чтобы там, в освободившемся месте, не оставалось никаких углублений и прорех. Сделайте это так же, как и в случае со сглазом: то есть направьте туда энергию, заполнив эфиром пустоту, восстановите границу эфирного тела и больше мыслями не возвращайтесь к тому, что оттуда извлекли. Как бы повернитесь спиной к ушедшей порче и уходите от нее сами.

После всего этого еще раз протестируйте себя в эталонном состоянии. Если почувствуете, что что-то осталось, повторите всю процедуру еще раз.

С другим человеком проводить работу по нейтрализации порчи я опять же не советую. Увидев порчу у другого, научите его справляться с ней самостоятельно. Опытные целители умеют извлекать порчу из эфирного тела других людей — делают это рукой, как будто вынимая посторонний предмет. Но для этого требуется умение ставить серьезную защиту на свое эфирное тело, ведь всегда очень велик риск перевести порчу на себя.

Система ДЭИР
ступень 1

Шаг 16. Подключение к независимой энергоинформационной сущности — проклятие. Диагностика и противодействие

Наиболее редкий тип агрессии — подключение к независимой энергоинформационной сущности, или проклятие. Проклятие очень тяжело снимать. Ведь в этом состоянии человек подключен к очень мощной деструктивной и разрушительной энергоинформационной структуре — к этакому разрушающему монстру. Человек, как яблоко на черенке, подвешен к щупальцу, через который этот деструктивный монстр сосет из него энергию и заставляет действовать в своих целях. Он толкает человека к саморазрушению, используя для этого всевозможные средства: либо подталкивает его к медленному самоубийству при помощи алкоголя или наркотиков, либо подстрекает к самоубийству самому натуральному, заставляя броситься из окна, повеситься, наглотаться таблеток... Этот монстр-кровопийца может также заставлять человека совершать поступки себе во вред, лишать его сна и покоя и даже делать его проводником несчастий для его близких. Все,

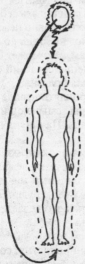

Рис. 50. Проклятие управляет человеком, нацеливая его на саморазрушение.

наверное, неоднократно слышали истории о людях, у которых сколько бы ни было мужей или жен — все они поочередно умирали или погибали при очень странных обстоятельствах. Можно, конечно, заподозрить в таких людях склонность к совершению тяжких преступлений, но чаще всего виновато все-таки довлеющее над ними проклятие, из-за которого человек невольно несет в себе разрушительное начало. Такой человек, сам того не желая и не понимая, как это происходит, становится этаким дестройером, сеющим вокруг смерть и разрушения — одним фактом своего присутствия.

Как наводится проклятие, объяснять, наверное, не надо. Скажу только, что для наведения полновесного проклятия недостаточно просто произнести в чей-то адрес фразу с пожеланием проклятия. Чтобы проклятие подействовало, человек, говорящий эту фразу, должен обладать очень мощной деструктивной энергетикой, быть, по сути, черным магом. Кроме того, он должен вложить в эту фразу всю силу своей ненависти. Только тогда он сможет вызвать сильную деструктивную сущность или структуру, которая его услышит, явится на его зов и подключит к себе проклинаемого. Сильное проклятие может распространяться не только на самого человека, подвергшегося ему, но и на его детей, внуков и правнуков.

Проклятие для самой его жертвы невидимо и неощутимо. В этом случае бесполезно сравнивать себя с эталонным состоянием — обнаружить что-либо все равно невозможно. Заподозрить существование проклятия можно лишь по особым образом складывающимся обстоятельствам. Это может быть и из ряда вон выходящая полоса неудач, и цепь несчастий среди родных и близких, и неожиданная тежелейшая болезнь.

У другого человека проклятие увидеть можно. Оно выглядит как туманный вырост ауры, смыкающийся с какой-то неясной структурой, уходящей вдаль. На ощупь проклятие никак себя не проявляет.

Меры противодействия проклятию достаточно сложны и без посторонней помощи редко бывают эффективны. Помощь эту может оказать только очень сильный маг либо святой. В этом случае проклятие вам грозить уже не будет. Чисто теоретически можно, пожалуй, объяснить, как это делается, но данная работа требует колоссального опыта.

В собственном эфирном теле, в участке, максимально удаленном от точки закрепления проклятия, создается замкнутая энергетическая структура наподобие шара, насыщенная энергетикой обоих центральных потоков. Этот шар надо медленно переместить

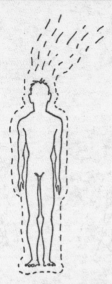

Рис. 51. Разреженная аура, словно пар, устремляется куда-то вверх — эти нити ведут к далекому центру проклятия.

в область закрепления проклятия, слить его с этой областью, а затем отторгнуть — примерно так же, как и порчу.

Но, повторяю, эта работа требует гигантской подготовки, огромного энергетического потенциала, а также строжайшей внутренней дисциплины. Без всего этого за дело лучше и не браться. А если с вами или с вашими близкими, не дай Бог, случится такое несчастье, как проклятие, я советую обратиться к помощи церкви. Церковь — очень мощная созидательная энергоинформационная структура, которая своей энергетикой может противостоять деструктивным энергетическим монстрам.

Некоторые формы проклятия можно снять уже постом, исповедью и причастием — ведь в этом случае вы подключаетесь к энергетике церкви и она начинает действовать вам во благо. Если и это не помогает, то придется прибегнуть к такой практикуемой церковью процедуре, как изгнание дьявола. Ведь дьявол — это и есть не что иное, как мощная деструктивная одушевленная энергоинформационная сущность, без которой не обходится наложение проклятия.

Если вы увидели проклятие у другого человека, что делать? Во имя всего святого: воздержитесь от вмешательства! Не играйте с огнем, это очень опасно. Посоветуйте такому человеку обратить-

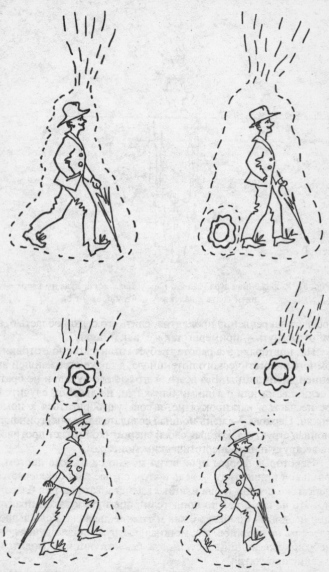

Рис. 52. Обманите проклятие. Вы создадите сгусток энергии, чтобы проклятие подключилось к нему, и отпустите его. Проклятие уйдет вместе с ним.

ся в церковь. Если он некрещеный или, еще хуже, атеист, иногда бывает достаточно обратиться к вере и принять крещение.

Итак, в этой главе вы узнали, как распознавать посторонние воздействия, как обороняться и избавляться от них. На начальном этапе развития и становления вашего энергоинформационного существа без этих методов вам будет не обойтись, потому что, как мы уже говорили, ваша энергетическая оболочка еще недостаточно мощная, а значит, она остается уязвимой. Но все это вовсе не означает, что вам теперь всегда придется жить под девизом: «Вся жизнь — борьба». **Освободив себя от посторонних воздействий, научившись их нейтрализации, вы научитесь делать себя практически неуязвимым для энергоинформационных воздействий извне. Но для этого сначала вам надо будет особым образом замкнуть свои энергетические потоки. Об этом — в следующей главе.**

Глава 7

Замыкание энергетических потоков и формирование защитной оболочки

ОТ ПРИЕМОВ ОБОРОНЫ — К ПОЛНОЙ НЕУЯЗВИМОСТИ

Вы уже знаете, как обороняться от силовых воздействий со стороны. Если вы применяли на практике те методы, о которых говорилось в предыдущих главах, то уже приобрели опыт нейтрализации посторонней энергетики.

Если вы действовали правильно, то наверняка обнаружили у себя как минимум несколько таких поражений. Ведь они есть абсолютно у каждого человека, живущего в современном обществе. Сглаз, например, стал явлением вполне обыденным, каждый человек встречается с «дурным глазом» по нескольку раз в день. То же можно сказать и о программировании, и о вампиризме. Так что и то, и другое, и третье вы у себя непременно должны были обнаружить, и не в одном «экземпляре». Многие из читателей, возможно, обнаружили у себя и порчу. Насчет проклятия — не уверен, думаю, что, будь оно у вас, вам было бы сейчас не до чтения этой книги.

Научившись освобождаться от энергоинформационных воздействий, даже не слишком серьезных, и натренировавшись в восприятии своего эфирного тела, вы, возможно, почувствовали, что ваша энергетика стала как-то светлее, чище, прозрачнее — она уже не замутнена чужими воздействиями. Да и вы сами, уважаемый читатель, наверняка уже заметили в себе перемены, не так ли? Может быть, это даже заметили ваши друзья, родственники, знакомые, коллеги по работе? Возможно, вы и сами чувствуете, что стали как-то легче, светлее, будто какая-то тяжесть свалилась с плеч, вы начали светиться изнутри, научились улыбаться, быть добрее к окружающему миру, легче относиться к жизни, перестали раздражаться по пустякам?

Если же видимых изменений пока нет — не расстраивайтесь. Ведь это только самое начало пути, и, возможно, вам нужно время, чтобы как следует «раскачать» свою энергетику, разогнать застоявшиеся потоки, оттренировать до автоматизма приемы отторжения чужой энергетики. Ведь у большинства людей за годы их жизни аура загрязнилась довольно-таки сильно, и одной «генеральной уборкой» не обойтись, работу по нейтрализации чуждой энергетики надо проводить постоянно, изо дня в день — и результат обязательно начнет сказываться. Может быть, это будет не сразу, а медленно, постепенно — у каждого человека существуют его естественные, природные ритмы, не надо их нарушать и искусственно подгонять себя. К каждому все приходит в свой срок. Только не опускайте руки.

Ведь вы, наверное, уже убедились, что сам по себе процесс освобождения своей энергетики от посторонних воздействий весьма увлекателен, а достигать положительного результата в этом деле очень и очень приятно. Так что уже сам процесс стоит того, чтобы им заниматься. Это и есть ваша ступенька к подлинному смыслу жизни, это и есть элемент настоящей, полноценной жизни человека как энергоинформационного существа. Вы, наверное, и сами заметили, что только благодаря этой практике ваша жизнь обрела какую-то полноту, которой в ней не было раньше. Ведь эта работа — одна из истинных потребностей вашей сущности.

Но вот, допустим, вы уже в совершенстве овладели приемами нейтрализации чуждых энергетических вторжений, наладили систему обороны так, что готовы отразить любой удар. Добавим, кстати, что сами вы при этом должны оставаться столь же неагрессивным и миролюбивым, как и прежде: ведь вы, надеюсь, твердо знаете, что первым нападать нельзя. Но вы должны также и знать, что право на оборону вы имеете всегда.

Итак, вам больше не страшен ни один вампир, и ни одна злобная старушка, только и делающая, что разбрасывающая порчи направо и налево, больше не причинит вам вреда. Вам теперь эти порчи безразличны, вы от них отделаетесь без труда, почти не прилагая усилий. Что дальше? Ждать новых, более сильных вампиров? Конечно, тренировка никогда не помешает, и чем достойнее противник, тем сильнее станете и вы. И все же останавливаться на этом нельзя, надо идти дальше.

Не забудьте и о том, что энергоинформационные паразиты осуществляют свое воздействие через множество незаметных согласованных прикосновений — и нужно достичь определенной степени совершенства, чтобы распознавать их вмешательство.

Овладев приемами обороны, вы непременно дорастете до того, чтобы укрепить свою энергетику и стать неуязвимым для окружающей среды. Когда вы достигнете неуязвимости хотя бы относительной (абсолютной неуязвимости редко кто из людей достигает), то вам уже не придется тратить силы на оборону. Чуждые воздействия будут отскакивать от вас сами, как от стенки горох, даже если их источник останется для вас неопознанным.

Для того чтобы получить более четкое представление о тех задачах, которые перед нами стоят, проведем такую аналогию: сравним эфирное тело человека с водой в стакане. Допустим, вы несете воду в стакане, проходя по вагону движущегося поезда. Вагон раскачивается, «спотыкается» на стрелках, подскакивает на стыках рельсов, а в открытые окна вагона беспрестанно летят пыль и гарь. В принципе, этот образ довольно-таки точно отражает ситуацию, в какой живет человек в современном мире, хотя сама аналогия, конечно, весьма приблизительна.

Какие задачи стоят перед человеком, несущим стакан? Во-первых, сохранить воду в целости и сохранности, не расплескав ее. Во-вторых, сохранить воду чистой. Обе задачи в условиях движущегося поезда очень сложны. Но с первой задачей все же справиться немного легче. Вы уже знаете, как уберечь «воду» от расплескивания — то есть свою энергетику от посторонних воздействий, которые растаскивают ее по частям. Вы уже можете не допустить потери жизненно важной энергии, выдержать натиск окружающих людей и, таким образом, не сделаться звеном патологической цепи и не допустить вовлечения в чужую программу.

Вторая задача посложнее. Если продолжить аналогию с водой, то выход только один: чтобы сохранить воду в чистоте, надо либо заменить стакан на другой, закрытый сосуд, либо закрыть его плотно прилегающей крышкой. То есть надо так отграничить свое эфирное тело от патологических связей общества, чтобы вас невозможно было втянуть в его энергетические потоки.

О том, как это сделать, я расскажу чуть позже. А сначала вернемся к теме патологических энергетических связей, чтобы разобраться в них подробнее. Мы уже говорили о том, как пагубно они влияют на человека, как трудно от них избавиться. Почему справиться с ними так тяжело? Потому что, как вы знаете, **эти энергетические связи образуют новое одушевленное энергоинформационное существо**. О природе этого существа мы сейчас и поговорим.

ЭНЕРГОИНФОРМАЦИОННЫЕ ПАРАЗИТЫ И ИХ ВЛАСТЬ НАД МИРОМ

Сущность, которая образуется, допустим, в переполненном вагоне поезда, — это просто мелочь по сравнению с теми гигантскими энергетическими сущностями, которые паразитируют на энергетике и сознании миллионов обитателей Земли.

Тут вы вправе, конечно, возмутиться и сказать: «Да что же это такое — неужели Дмитрий Сергеевич хочет нас запугать до полусмерти, рассказывая всякие ужасы о каких-то монстрах, паразитирующих на человечестве? Неужели он думает, что кто-то из его читателей, взрослых и серьезных людей, поверит в эти сказки о бедном земном шаре, который вместе со всеми обитателями может быть проглочен каким-то мерзким драконом? Зачем он хочет нам внушить, что все мы в щупальцах у какого-то гигантского спрута, который зазомбировал нас, лишил собственного сознания и заставляет плясать под свою дудку?

Не волнуйтесь, уважаемый читатель, я вовсе не хочу вас запугивать и прекрасно знаю, что вы не верите ни в каких сказочных чудовищ. Спешу вас успокоить: воображение, конечно, способно подбрасывать нам самые разные образы, один страшнее другого. Но и монстр, и дракон, и спрут — это не более чем символы, которые лишь приблизительно отражают реальность. Они позволяют более наглядно представить себе процессы, происходящие в энергоинформационном мире, делают эти процессы более понятными для обычного человеческого восприятия — но не более того. Посредством этих образов с нами говорит поле, потому что так нам понятнее все, что там происходит, — но это не значит, что там, в энергоинформационном поле, живут реальные драконы, спруты и прочие чудища.

Попробуем же разобраться в том, что за этими образами стоит.

Еще много тысяч лет назад перед человечеством встала одна-единственная задача: выжить. Выжить — это означало, в первую очередь, прокормиться. Заметим: до общеизвестного события — изгнания из рая — такой проблемы перед людьми не стояло, природа сама давала им все необходимое, и человеку не приходилось с неимоверными усилиями вырывать у нее пищу. Покинув Эдем и оказавшись на грешной Земле, люди вынуждены были заботить-

ся о выживании своей физической оболочки, забыв о своей истинной энергоинформационной сущности. Потому что в далеких
от цивилизации (и от рая) условиях люди вынуждены были максимум энергии затрачивать на обустройство в физическом мире.

А когда множество людей хотят чего-то одного, их желания
и мысли, выплескиваясь в виде энергетических потоков, сбиваются в единую структуру, которая начинает существовать отдельно от человека. Представляете, сколько веков подряд на всех
континентах Земли в сотнях миллионов мозгов осознанно или
неосознанно стучало: «Выжить! Прокормиться! Выжить! Прокормиться!» В итоге из этого всеобъемлющего желания образовалась всемирная энергетическая сущность, которая начала жить
своей самостоятельной жизнью. (Помните, мы уже говорили об
этом? Согласованная энергия ста человек легко подчинит себе
еще десяток, а другой десяток потеряет, — так и существует энергоинформационная структура, подчиняя себе все новых людей,
а отработанных, усомнившихся или перехваченных другой структурой отбрасывает.)

Теперь уже она сама довлеет над желаниями и стремлениями
человечества — ведь она набрала гигантскую силу и уже может сама заставить плясать под свою дудку кого угодно. Теперь уже она
шепчет на ухо каждому — абсолютно каждому! — из обитателей
Земли (а может, и не шепчет, а громко орет): «Выжить! Прокормиться!»

Вот почему мы все оказываемся с детства вовлечены в энергетические связи с физическим, материальным миром, вот почему мы забываем о своей энергоинформационной сущности. Ведь
эта структура, которую можно, конечно, для образности назвать
и спрутом, и монстром, заставляет нас всю нашу энергию отдавать, во-первых, ей самой, а во-вторых, физическому миру. Ведь
поддаваясь назойливому шепоту «монстра», мы массу сил отдаем
на добывание пищи, на обеспечение выживания своему физическому телу. И забываем, что силы надо тратить на укрепление
энергоинформационной сущности, — и тогда она сама, наша
энергоинформационная сущность, обеспечит и выживание, и благополучие физическому телу.

То, что мы до сих пор называли патологическими энергоинформационными связями с другими людьми, — это, на самом
деле, крохотная частичка гигантских энергоинформационных
конструкций, издавна управляющих желаниями и стремлениями
людей. Люди опутаны «щупальцами» этих «спрутов», которые тя-
нутся от одного человека к другому, связывая в единый узел все
человечество.

Только вырвавшись из лап энергоинформационных паразитов, заставляющих все силы тратить на жизнеобеспечение тела, человек сможет вернуть свой потерянный рай, нормализовать течение своей энергетики, обрести здоровье, радость, свободу.

Отдельные представители человечества умели это делать всегда. Как правило, это святые, подвижники, пророки или сильные маги, ясновидящие, целители, которые вырывались из пут социума и жили по законам энергоинформационной сущности. Такие люди есть и сейчас, и их становится все больше — причем теперь это уже не обязательно святые и отшельники, очень часто это вполне обычные с виду люди. Ведь энергоинформационные монстры стали настолько сильными, что перед всем человечеством встал выбор: либо избавляться от патологических энергетических пут, либо человеческая цивилизация на этом должна будет прекратиться. Поэтому вырываться из лап энергетических монстров сегодня нужно абсолютно всем людям, и чем скорее, тем лучше.

Таких мощных патологических энергоинформационных конструкций за время существования человечества образовано множество. Создает их не только желание выжить и прокормиться — их порождают любые желания и стремления, объединяющие массы людей. Они зарождаются как порыв или желание, объединяющее нескольких человек, а потом начинают вовлекать в свой оборот все большее количество народа, все больше индивидуальных человеческих аур. Люди эти могут меняться — кто-то выключается из связи, кто-то включается в нее, — но для существования энергоинформационного спрута необходимо, чтобы какое-то количество людей постоянно поддерживало его. Чем больше этих людей, тем для спрута лучше.

Вот пример образования такого спрута. Допустим, собрались несколько революционеров, задумавших свержение существующего строя, затем они передали свое желание в энергетической форме другим людям, те — следующим, и в конце концов уже множество людей начинают подпитывать этот энергоинформационный поток. И вот уже образовалась новая энергоинформационная структура, которая, питаясь энергетикой множества людей, уже сама начинает толкать их на террор, на кровопролитие, на вандализм и гражданские войны...

Спрашивается: откуда такая жестокость, такое всеобщее помешательство, ведь изначально революционно настроенные граждане вовсе не хотели крови, наоборот, они хотели только добра и справедливости. Но созданная ими сверхмощная энергоинформационная сущность уже сама начала диктовать свои правила игры, вербовать новых членов, сама послала их убивать. Зачем ей это нужно? Да все очень просто: она ведь питается негативной энергией! А там, где убийства, террор, кровь, насилие, — там негативной энергии, столь желанной для энергоинформационного спрута, хоть отбавляй!

Самые разнообразные гигантские энергетические спруты постоянно встречаются, пересекаются, взаимодействуют, заставляя людей вести себя так, как нужно им. Встречаются дружественные спруты — люди, обслуживающие их, дружат. Встречаются враждебные — ругаются, ссорятся, затевают войны.

Война — идеальная кормушка для энергоинформационного спрута. Потому что она высвобождает просто непомерное количество негативной энергии. За счет этой энергии спрут питается, растет, порождает отпрысков. Такой отпрыск может начать свое действие на каком-нибудь новом, еще не освоенном спрутом клочке земли — скажем, в Чечне. И вот там уже кипят страсти, бушует ненависть, льется кровь. Отпрыск растет, вступает в конфликт с другой гигантской энергоинформационной структурой — и в Чечню вводится армия. Еще больше крови и ненависти — еще больше питания энергоинформационному спруту. Монстр продолжает расти, а значит, ему требуется уже новая пища — новые войны, революции, перевороты.

Причем монстр не обязательно будет напрямую разжигать войну. Он может, скажем, стимулировать алчность в каком-нибудь видном политике, которому вдруг захочется чеченской нефти. Он начнет действовать, в итоге столкнутся чьи-то интересы — и вот пошло-поехало. Причем сам политик в результате ничего не выиграет — ведь он лишь пешка, которую использовала в своей игре энергоинформационная структура, ничего не дав взамен.

Такие гигантские энергоинформационные паразиты всегда действуют через конкретных людей, которые участвуют в этих играх, надеясь что-то получить от них для себя (чего именно они хотят — нетрудно догадаться, все того же: выжить и прокормиться, только теперь уже выживать им хочется в особо комфортных условиях, а кормиться преимущественно деликатесами). Но в итоге от такого взаимодействия с энергоинформационным паразитом люди остаются всегда в проигрыше, даже если какое-то время им удается пробыть в состоянии процветания. Энергоинформационный монстр, использовав человека в своих целях, выбрасывает его за ненадобностью на помойку, как кожуру от выжатого лимона.

Мы уже не раз могли убедиться: ни одно массовое движение — будь то политические выступления, революция, бунт, мятеж или война — никогда и никому еще не приносили добра. То, что подобные события могут изменить мир к лучшему, принести всеобщее счастье — это иллюзия и заблуждение. Люди надеются после революции или мятежа начать жить лучше, добиться для себя каких-то благ — но человечество продолжает, как и прежде, прозябать в тех же жалких и опротивевших условиях. Выигрывает только энергоинформационный монстр, который, получив огромное количество пищи за счет людских страданий, растет и ширится и множит отпрысков. Так — до бесконечности, это замкнутый круг.

Не правда ли, неприятно и даже обидно сознавать, что вы, оказывается, вовсе не свободный и независимый человек, каким привыкли себя считать, а только пешка в какой-то очередной игре недружественных человеку сил. Но вполне в вашей власти и в ваших силах прекратить быть пешкой. Более того — это единственный выход, иначе сегодня не выжить, как только порвать все энергетические связи с энергоинформационными монстрами, паразитирующими на человечестве.

Может быть, вы считаете, что человек слишком слаб, чтобы противостоять мощным энергетическим спрутам, подчинившим себе весь мир? Ничего подобного. Человек, понявший свою энергоинформационную сущность и вступивший с ней в осознанный контакт, становится достаточно сильным, чтобы вырваться из всех опутывающих человечество энергетических сетей. Ведь ему совершенно не обязательно стремиться уничтожить гигантского паразита во всех его проявлениях (хотя это и возможно), а только следует оградить самого себя от его влияния.

Подумайте: стоит ли тратить свою и без того короткую жизнь на обслуживание чуждых вам структур? Вы ведь пришли в этот мир, чтобы осознать себя, решить свои задачи, развить свою энергоинформационную сущность, а вовсе не для того, чтобы отдавать свою энергию каким-то посторонним силам, которые высосут из вас всю кровь до капли, растопчут и перешагнут через вас в погоне за новыми жертвами. Осознайте, что у вас нет ни времени, ни лишних сил, чтобы отдавать дань паразитическим структурам.

Вы уже научились избавляться от чужого программирования. Но этого недостаточно для того, чтобы вырваться из паразитической сети. Нужно раз и навсегда исключить саму возможность попадания под их власть. Когда вы полностью исключите эту возможность, вам не придется без конца обороняться от чуждых воздействий. Вы избавитесь от ложных желаний, перестанете совершать ненужные поступки, которые причиняют только вред. Более того — вы научитесь удерживать от таких поступков своих близких. **Вы перестанете терять энергию, нужную для поддержания здоровья, для того, чтобы избавляться от старых болезней и не позволять возникнуть новым.**

ОТКЛЮЧЕНИЕ ОТ ПАРАЗИТИЧЕСКИХ СУЩНОСТЕЙ: ТЕОРИЯ

Как же стать неуязвимым для энергоинформационных паразитических сущностей, командующих людьми? Как стать независимым от них, как выбраться на свой собственный путь? Как же оторваться от того заблудившегося, сбившегося с пути обоза, который тянет человечество в пропасть?

Если вы уже научились ощущать свою энергию, овладели навыком управлять своими энергоинформационными потоками, то для вас вполне реально провести работу по восстановлению своей целостности, по отделению от всевозможных монстров.

Прежде чем сделать это, вспомним то, что мы уже знаем о своей энергетической структуре. Если вы еще не забыли, верхние чакры (Вишудха и Аджна) освобождают энергию Земли и поглощают рассеянную энергию Космоса, а нижние чакры (Свадхистана и Манипура) освобождают энергию Космоса и поглощают рассеянную энергию Земли.

Теперь к этому уже известному вам знанию добавим новое. До сих пор мы очень мало говорили о первой чакре (Муладхаре) и седьмой чакре (Сахасраре). Как вы знаете, остальные чакры освобождают и поглощают энергию, уже преобразованную человеческим телом. И только две эти чакры — первая и седьмая — поглощают и перерабатывают энергию в чистом виде. Муладхара перерабатывает в чистом виде энергию Земли, Сахасрара — в чистом виде энергию Космоса. Чужие импульсы и программы еще не затрагивают эти чакры. Все чужое присоединяется и внедряется выше или ниже.

Как вы думаете, что это означает? А то, что в нашем теле есть, оказывается, области, излучающие чистую энергию, к которой не может подключиться никакой паразит. Их не нужно защищать.

И если мы соединим потоки энергии остальных верхних чакр с чакрами нижними, замкнем их вокруг своего тела, образовав оболочку из чистых энергий вокруг собственных энергетических потоков, от верхних до нижних чакр, — то эта защитная оболочка навсегда отделит нас от влияния энергоинформационных паразитов. Она сделает нас неуязвимыми и придаст огромную силу.

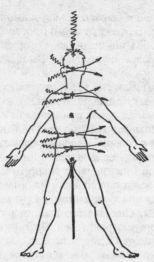

Рис. 53. Крайние чакры могут поглощать только чистую энергию — но через остальные чакры идет непрекращающийся круговорот энергетических потоков, несущих на себе отпечатки человеческих существ.

Рис. 54. Стоит замкнуть потоки энергии верхних и нижних чакр — и в ваш внутренний мир больше не вмешается никто. Никогда. Вы станете недоступны и свободны.

Просто? Проще не бывает. Не случайно же говорят, что все гениальное просто. Эффект от этого простого с виду мероприятия потрясающий. Жизнь человека, который осуществил такой прием, меняется сразу и очень резко. Вы и сами скоро сможете в этом убедиться.

Может быть, вы думаете, что я предлагаю вам сделать нечто противоестественное? Напрасно. Я предлагаю вам только вернуть себе то, что нам всем по праву принадлежит от рождения. Ведь у новорожденного есть эта самая защитная оболочка из чистых энергий, о которой я говорю! Человек рождается в ней, это вполне естественное природное явление — иметь от рождения замкнутые от верхних до нижних чакр энергетические потоки. Противоестественные вещи с человеком начинают происходить потом, когда оболочка новорожденного разрушается под давлением окружающей среды. Сначала его потоки размыкаются, чтобы замкнуться на энергетику родителей. Потом уже разомкнутые потоки легко подключаются к энергетике друзей, воспитателей, учителей, родственников и знакомых, всех встречных-поперечных, и так до тех пор, пока человек не превращается в абсолютно незащищенное существо, из которого торчат ничем не прикрытые обрывки энергетики — подключайся все, кому не лень! Вместо энергетической оболочки остается лишь комок оголенных нервов.

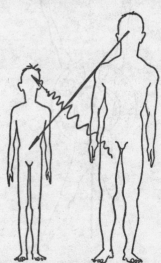

Рис. 55. Связь ребенок—родитель. Она помогает ребенку вырасти — но кто потом подключится вместо матери или отца?

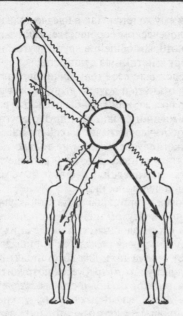

Рис. 56. Может быть, это будет энергоинформационный паразит?

Человек, который хочет выжить сегодня, просто обязан вернуть себе свою природную сущность, восстановить свою замкнутую энергетическую оболочку. Потому что изнурительная и обесточивающая погоня в стремлении выжить и прокормиться сегодня уже не позволяет выжить, а только губит человека. Выжить позволяет только одно: замыкание своей энергетики, создание защитной оболочки и переход на автономное существование.

Хочу обратить ваше внимание, что, говоря об автономном существовании, я вовсе не имею в виду, что надо уйти в лес или в скит. Нет, этого делать вовсе не обязательно. Можно продолжать жить в социуме, среди себе подобных, ходить на работу, ездить в общественном транспорте, иметь семью — и при этом сохранять свою целостность, не позволять никому и ничему себя разрушать, и жить не по законам толпы, а по законам своей энергоинформационной сущности.

Представьте себе множество брошенных надувных резиновых мячиков. Они сталкиваются друг с другом, отталкиваются друг от друга — они взаимодействуют, но при этом каждый из них остается целым и невредимым, он сохраняет возможность прыгать и кататься так, как ему хочется. Так в идеале должны строиться отношения и в человеческом сообществе: как взаимодействия упругих мячиков, которым общение друг с другом не мешает сохранять свою свободу и истинную сущность.

А теперь представьте себе гору мячиков, каждый из которых так и норовит проткнуть в другом дыру, чтобы выкачать воздух, или расплющить соседа, или хотя бы сделать в его боку вмятину. Кроме того, все мячики соединены друг с другом одним шлангом, по которому откуда-то извне какой-то насос выкачивает из них воздух. В таком случае мячики не только не способны свободно и легко кататься и скакать, но и вообще теряют свою истинную сущность, фактически переставая быть мячиками. Вот на что похоже сегодня человечество.

Каждый человек от природы задуман как упругий, круглый, хорошо накачанный воздухом мячик, который весело взаимодействует с другими себе подобными, не калеча их и сам оставаясь целостным. Каждый человек рождается именно таким «мячиком». Но социум делает свое дело, и для восстановления своей истинной природы человеку потом требуется потрудиться.

Достоверно известно, что полностью восстановленная оболочка была лишь у Будды и некоторых святых. Это не значит, что для всех остальных, простых смертных, этот путь закрыт. Напротив, эти выдающиеся примеры демонстрируют нам, до какого уровня

Рис. 57. Так должно быть — счастливые люди, в полной мере сохраняющие свою суть и независимость. Они не вредят друг другу и обладают естественным здоровьем.

Рис. 58. Такое жуткое положение сейчас: человечество спеленуто собственной паутиной, и людьми управляют, будто марионетками, пауки — энергоинформационные паразиты.

может подняться человек, если освободится от рабства многочисленных энергетических монстров, заставляющих его идти по пути достижения ложных материальных целей.

Почему же большинство людей до сих пор не вернули себе принадлежащую им по праву от рождения энергетическую оболочку, позволяющую быть защищенным, развиваться так, как им хочется, быть свободным, подниматься на новые, все более высокие ступени эволюции? Да все потому же: это не на руку властвующим над людьми паразитическим энергоинформационным структурам. Они же озабочены только собственным выживанием, а для выживания им нужна человеческая энергетика — поэтому они и делают все возможное, чтобы исключить из сферы внимания людей их истинный путь эволюции в энергоинформационном мире, чтобы скрыть от человека знание об энергетических потоках и защитной оболочке.

Я поздравляю вас, уважаемый читатель, вы все-таки прорвались к этому знанию — о чем говорит тот факт, что данная книга сейчас у вас в руках! Значит, вы оказались уже достаточно сильны, чтобы пожелать вырваться из патологической энергетической сети к истинному миру — миру энергии и информации Вселенной. А потому позвольте теперь познакомить вас с техникой формирования защитной оболочки человеческого существа.

Шаг 17. Отключение от паразитических сущностей и формирование защитной оболочки: техника

Итак, начнем с того, что вам уже хорошо известно: сосредоточимся на центральных энергетических потоках. Но на этот раз вы должны сконцентрировать все свое внимание не собственно на течении потоков, а на том, как они проходят через чакры.

Почувствуйте восходящий поток, проследите, как он поднимается к Вишудхе и Аджне, сосредоточьтесь на этих чакрах и ощутите, как в районе этих чакр поток теряется из сферы восприятия. Не упуская из внимания это ощущение, почувствуйте нисходящий поток и то, как он начинает рассеиваться, дойдя до Манипуры и Свадхистаны. Почувствуйте, как уходит энергия через верхние и через нижние чакры — медленно, но отчетливо, как вода сквозь фильтр. Как бы слейтесь с этими рассеивающимися потоками, включите их в сферу своего восприятия, хорошенько запомните это ощущение.

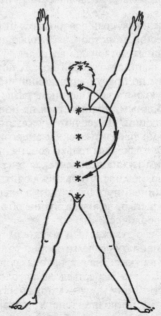

Рис. 59. Освободитесь от порч и вампиров — замкните энергию восходящего потока.

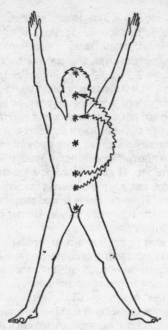

Рис. 60. Освободитесь от программ — замкните энергию нисходящего потока.

А теперь сосредоточьтесь на той энергии, которую поглощают эти чакры. Эта задача легко выполнима для вас теперь, когда вы уже ощутили истекающую из них энергию. Не правда ли, интересное ощущение: чакры выделяют энергию — и в то же время поглощают другую ее разновидность. Причем поглощение энергии извне идет непрерывно: верхние чакры (Вишудха и Аджна) поглощают уже преобразованную, «очеловеченную» другими людьми энергию Космоса, а нижние (Манипура и Свадхистана) — также преобразованную другими людьми энергию Земли. Прочувствуйте как следует этот приток энергии, как бы слейтесь с ним, запомните это ощущение.

Я не случайно употребляю слово «слейтесь» — это очень важный момент. При первом прочтении вам, может быть, покажется не совсем понятным, что я имею в виду, — но, начав делать это на практике, вы, несомненно, поймете, о чем речь, и без труда ухватите это ощущение слияния с поглощаемой и выделяемой вашими чакрами энергией.

Когда вы полностью ощутили это слияние, когда ощущение стало четким — вам предстоит проделать поистине цирковой трюк. Слившись с энергией, выходящей через одну из верхних чакр (например, через Аджну), вы должны дотянуться этой энергией до чакры нижней (например, Манипуры). Можете для этой цели вспомнить уже знакомые вам ощущения заполнения энергией пустых пространств в эфирном теле, хотя в данном случае это будет немного сложнее, ведь расстояние от верхних до нижних чакр достаточно велико и вам придется накопить побольше энергии, чтобы растянуть ее на этот промежуток.

Возможно, вам потребуются некоторые усилия, но рано или поздно вы сделаете это. И как только вам удастся это сделать, вы мгновенно ощутите, как вокруг вашего тела возник кольцевой поток энергии Земли. Причем сразу после возникновения этот поток делается мощным и соразмерным. Почти сразу же происходит прилив энергии к телу.

Используйте этот прилив для того, чтобы как можно быстрее установить вторую компоненту (космическую составляющую) создаваемой вами защитной оболочки. Для этого вам надо слиться с энергией, выходящей через нижние чакры, и дотянуться ею до верхних чакр. Ну как, получилось? Вот вы и замкнули вокруг своего тела второй энергетический слой — энергию Космоса. А теперь сосредоточьтесь на том, чтобы удержать вокруг своего тела ощущение обоих слоев. Держите это ощущение так долго, как только сможете.

Иногда (в 30 процентах случаев) бывает, что оболочка сначала получается не слишком прочной и не удерживается сама. Если так произойдет и с вами, не пугайтесь и не отчаивайтесь, а просто повторите все упражнение сначала. Надо сказать, что вам это упражнение придется повторять снова и снова в любом случае (и как можно чаще), потому что с первого раза оболочка еще не установится прочно и надолго. А вот от повторений упражнения оболочка с каждым разом будет устанавливаться все легче и легче, удерживаться все дольше и дольше, пока однажды не останется навсегда (от 5 до 28 повторений процедуры установки, по данным нашего отдела).

Уже после первых попыток установить оболочку вы сможете почувствовать новые границы вашего эфирного тела — оно намного больше, чем раньше! Это говорит о вашей возросшей энергетике. Да и сами границы стали гораздо прочнее, не правда ли?

Итак, вас снова можно поздравить. Ведь вы только что сделали не что иное, как вернули себе свою природную целостность и таким образом освободились от всех энергоинформационных

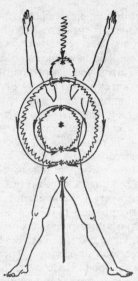

Рис. 61. Завершите оболочку. Вы свободны от воздействий извне.
Над вами не властны энергоинформационные паразиты.
Вы стали вольными. Вы восстановите здоровье.

паразитов. Если вы будете продолжать делать упражнение до тех пор, пока новая оболочка не станет прочной и устойчивой, никакие энергоинформационные паразиты больше никогда не будут иметь над вами власти. Потому что там, где раньше в вашем теле были открытые для любого проникновения врата, теперь находится несокрушимый двойной слой энергетики, который будет не только вас защищать, но и сам себя все время усиливать.

Отныне вы полностью закрыты от влияния патологических потоков. Более того, вам предстоит немалое удивление, потому что вы заметите, что вы сами очень резко изменились: стали гораздо увереннее и спокойнее, ваше восприятие мира стало более взвешенным, а самочувствие значительно улучшилось.

Осознайте, что вы совершили очень серьезный, очень достойный поступок — может быть, первый по важности поступок в своей жизни. И имеете полное право уважать себя за это. Вы стали независимым ни от кого и ни от чего! Теперь только вы сами можете быть себе властелином — вы сами властвуете над своим здоровьем, удачей, судьбой.

Это и есть первое основное открытие, сделанное в рамках программы «Пастырь», — то, что человек в силах ультимативно отключиться от внешних энергоинформационных воздействий, даже от самых сильных, и им невозможно будет управлять ни политиканам, ни толпе, ни средствам массовой информации. В отсутствие же биоинформационных воздействий со стороны энергетических паразитов человек относится к действительности по-другому, критически. Это первая ступень метода ДЭИР.

Человек, отключившийся от причин, управляющих обычными людьми, находится на качественно другом уровне существования — как если бы солдат перестал слушать приказы командира, а занялся собой. Естественно, что начальничку это не очень понравилось бы. Поэтому метод ДЭИР долгие годы держался в секрете сильными мира сего. А ведь выкачивание ресурсов людей энергоинформационными паразитами не только делает их легко управляемыми кучкой политиканов, но и лишает людей удачи, здоровья... Это прямой путь к вырождению нации — не случайно большинство индустриальных стран, в силу своей перенаселенности наиболее сильно выкачиваемых, подвергаются непрерывному нашествию инородцев — негров, арабов, китайцев, японцев и проч., и проч.. Просто ослабленное коренное население и его генофонд постепенно склоняются перед представителями пусть менее развитых, зато полных сил наций.

В нашем обществе очень немного людей, которые могут считать себя независимыми от окружающего физического мира. Большинство людей зависят от всех и вся и считают это нормой. Начальник накричал — им плохо, погода испортилась — им еще хуже, зарплату не дали — они уже на больничной койке. Вот так и зависят всю жизнь от кого-то, кто только захочет их дернуть за ниточку, как марионетку. Ими легко управлять при помощи создания энергоинформационных структур — все равно, создаются они осознанно или случайно (например, в ходе предвыборной кампании).

Вы больше не марионетка! Вы и только вы — хозяин самому себе. Никто и ничто больше не в силах повлиять на ваше настроение, состояние, здоровье, поведение. Вы очень сильно отличаетесь от большинства людей. Это огромное достижение для мира, в котором мы живем. Вы становитесь на новую ступень энергоинформационного развития. Вы выделяетесь из рядов остального человечества. Вы формируете нечто новое. И здесь вступают в силу механизмы естественной эволюции — ведь по сравнению с остальным человечеством вас не так уж много. Любой последователь ДЭИР получает огромную энергоинформационную поддержку, которая идет от совокупности совпадающих стремлений его единомышленников. Но хаос энергоинформационных паразитов, окружающий нас, силен, и даже если он больше не вторгается в наш внутренний мир, то по-прежнему направляет мир внешний. Поэтому мы все должны быть на одной стороне. Узнавайте друг друга в толпе. Помогайте друг другу. Я всегда говорил своим ученикам, как достичь этого на практике, ведь один человек слаб, а несколько людей сильны своим единением.

Люди, стоящие на новой ступени эволюции, должны помогать друг другу, потому что они находятся во враждебном окружении и потому что любой человек силен волей себе подобных. У каждого из нас есть возможности, которыми мы можем поделиться с единомышленником. Делайте это.

Вы еще будете иметь возможность насладиться всеми радостями, которые приносит обретенная вами свобода. А пока — приготовьтесь продолжать работу. Потому что восстановление вашего защитного кокона — это еще не все. Ведь внутри этого кокона все еще остаются последствия длительного подключения к паразитическим сущностям, которые успели-таки похозяйничать в вашей энергетической структуре и наоставлять там следов. **Теперь вам предстоит удалить эти следы, разрушить оставшиеся в вашем теле чужие программы и привести энергетику в гармоничное состояние. Только тогда и душа сможет очиститься, и тело вернуть себе здоровье.**

Глава 8

Здоровье и болезнь: энергетическая коррекция физического тела и переход на естественный режим самооздоровления

ВСПОМНИМ О ТЕЛЕ

В предыдущих главах вы научились азам взаимодействия с миром энергий. Вы научились воспринимать энергоинформационные структуры, видеть их и ощущать. Я уверен, что вам уже не нужно доказывать реальность их существования: в этом вы убедились сами, на собственном опыте. Вы научились также ощущать энергоинформационную агрессию извне, распознавать чуждые воздействия и защищаться от них. Вы научились замыкать свои энергетические потоки, создавать мощную защитную оболочку вокруг своего тела и отключаться от глобальных энергоинформационных паразитов.

Все это означает, что вы теперь вполне свободно ориентируетесь в энергоинформационном мире и чувствуете себя там почти как дома. Благодаря этому ваша жизнь наверняка стала полнее и интереснее — ведь в сферу вашего восприятия вошел огромный пласт ощущений, который остается за пределами внимания обычного человека. Вы уже твердо усвоили, и ваши ощущения подтверждают это, что ваша истинная сущность, ваше сознание целиком размещено не в земном физическом мире, а в мире энергоинформационном, в другом измерении, абсолютно не воспринимаемом органами чувств обычного человека.

И все же в этой главе мы будем говорить о теле — о том самом материальном, физическом теле, которое целиком принадлежит земному, материальному плану. Да, до сих пор мы постоянно говорили о том, что истинная наша сущность — энергоинформационная, а физическое тело вовсе не имеет такого большого значения. И все же это не значит, что на тело теперь можно не обращать никакого внимания.

Представьте себе, что физическое тело — это костюм, одежда, которую вы в любой момент можете снять и даже, если она совсем прохудилась, безжалостно выбросить на помойку. Но пока вы носите вашу одежду, вы ведь заботитесь о том, чтобы она была чистой, опрятной, чтобы на ней не было дыр и потертостей. Так же и тело требует заботы.

Конечно, оно играет второстепенную роль по сравнению с энергоинформационной сущностью и имеет по отношению к ней подчиненное значение (как костюм к человеку, который его носит), но сказать, что тело совсем ничего не значит, было бы неправильно.

В этой главе я хочу предостеречь вас от одной ошибки, которую нередко допускают люди, занимающиеся различными энергетическими и духовными практиками и идущие по пути развития своей энергоинформационной сущности. Очень часто такие люди начисто забывают о теле, попросту махнув на него рукой. В итоге тело лишается даже минимального поступления энергии и начинает чахнуть, сохнуть и болеть. Порой такие люди выглядят так, как будто они «немного не в себе» — то ли с луны свалились, то ли витают где-то в облаках. При этом они вполне нормальны психически, просто им не очень нравится жить в физическом мире, они как будто все время норовят куда-то из него сбежать — в сферы духа или в мир своих иллюзий.

В любом случае мы с вами такой ошибки не допустим. Мы будем помнить, что мы все-таки пока — не чистые духи, а люди, состоящие из плоти, крови, костей, сухожилий и внутренних органов. И раз уж нам дано от природы тело — значит, оно для чего-нибудь нужно. Для чего же? А именно для возможности существования в земном, материальном мире, куда мы пришли каждый со своей задачей.

У всех нас есть и общая двуединая задача — во-первых, научиться ощущать себя энергоинформационным существом, а во-вторых, научиться жить в материальном мире, в физическом теле, любить и принимать и этот мир, и это тело, какими бы они ни были. Сейчас тело материально — но что с того? Его тоже нужно подчинить себе. Нужно уметь с легкостью адаптироваться к любому из миров.

Вы, конечно, помните, что мы говорили о необходимости отдавать энергию энергоинформационной сущности, а не тратить ее на физический мир. И теперь у читателя может возникнуть ощущение некоего противоречия: как, нас призывали не отдавать энергии физическому миру, а значит, и телу, а теперь оказывается, что это делать все-таки нужно?

Я попытаюсь вам доказать, что противоречие это только мнимое. Просто здесь есть одна тонкость. Все дело в том, что телу действительно нельзя отдавать всей той энергии, которая по праву принадлежит энергоинформационному миру. Чтобы как следует понять этот момент и уяснить себе разницу между энергией высшей энергоинформационной сущности человека и энергией его тела, вы должны очень четко усвоить и ощутить, какая огромная разница лежит между двумя вашими ипостасями: вашим физическим телом и вашей энергоинформационной сущностью.

Эти две ипостаси живут в разных измерениях, в разных плоскостях, они нигде не пересекаются, и смешивать и путать их нельзя никогда. Не случайно энергоинформационную сущность часто называют «двойником» человека. Это действительно другое существо, хоть оно и является основной частью вас, — главная ваша ипостась. Учитесь ощущать его в себе, постепенно отождествляйте себя с ним, а не с физическим телом. И поймите, что туда, в то измерение, где живет ваша истинная сущность, нельзя тащить ваши житейские, будничные, земные, человеческие проблемы и заморочки — там совсем другие законы, и ваши заморочки не имеют там никакого значения.

Туда действительно надо направлять максимум своей энергии — и только после этого у вас появится сила для заботы о физическом теле. А если же вы будете затрачивать энергию только на тело, забыв о первостепенном значении энергоинформационной сущности, тогда все ваши попытки привести тело в порядок будут абсолютно тщетны: такая забота не принесет успеха. Заботиться о теле и получать для этого энергию вы сможете только тогда, когда вспомните о его вторичности по отношению к энергоинформационной сущности.

Для большей доходчивости приведу пример. Сравним нашу энергоинформационную сущность с музыкой, а тело — с музыкальным инструментом. Музыка живет не в плотном мире и никак не зависит от его проявлений: ни от погоды, ни от огня, ни от воды. Она зависит от того, сколько энергии, эмоций вложил в нее исполнитель. (Допустим, исполнитель олицетворяет как раз ту энергию, которую мы посылаем энергоинформационной сущности.) Но вот музыкальный инструмент может и сгореть, и отсыреть, и развалиться, и расстроиться. В этом случае мы же не будем требовать от исполнителя, чтобы он сам ремонтировал инструмент, — потому что его энергия имеет другое предназначение, она нужна для того, чтобы звучала музыка. Для ремонта инструмента мы вызовем специалиста более прозаичной, земной специальности.

Так же и для «ремонта» своего тела мы будем пользоваться вторичными, земными энергиями, не вникая в этот процесс всей своей энергоинформационной сущностью. Это просто устройство, требующее ухода.

А если мы забудем о том, что музыкальный инструмент предназначен для извлечения звуков, и начнем его ремонтировать только для красоты, чтобы он выполнял роль мебели, — вряд ли настоящий мастер возьмется за такой ремонт. Отремонтировать инструмент в таком случае не удастся. Так же и тело не удастся вылечить, если мы будем делать это только ради него самого, а не ради того, чтобы оно было полноценным носителем энергоинформационной сущности.

Ощутите, как ваша энергоинформационная сущность смотрит на процесс гармонизации вашего тела как бы со стороны — из другого измерения. Когда вы посмотрите на свое тело как бы со стороны, когда вы осознаете его вторичность и подчиненность, вам будет очень легко гармонизировать тело, потому что этот процесс утратит для вас былую сверхзначимость. Вспомните — тяжелее всего нам дается то, что для нас особенно важно. Чем важнее экзамен, тем больше вероятность его провалить. Когда вы снизите значимость физического тела, перестанете отождествлять его со своей истинной сущностью, начнете воспринимать его лишь как вспомогательный инструмент, облегчающий существование в физическом мире, — тогда вы легко и спокойно, без паники и суеты сможете привести его в норму.

С чего же начать процесс нормализации тела? Прежде всего — принять и полюбить его со всеми его недостатками и проблемами, каким бы оно ни было. Ведь мы уже усвоили, что тело — это лишь вспомогательный инструмент, лишь наш временный «костюм», и потому не будем предъявлять к нему слишком уж больших претензий. Это в социуме с его патологическими законами принято делать из тела культ, считать красоту тела чуть ли не высшей ценностью. Люди бытового сознания не знают, что у них есть кое-что несравнимо более важное — энергоинформационная сущность, истинное сознание, душа, вот и носятся с красотой тела как с писаной торбой.

Для человека, постигшего истинные законы мира, внешность не имеет значения. Тело обеспечивает вам возможность жить на

Земле? Ну и скажите ему за это спасибо. Чего же вы еще от него хотите? Большего от него требовать нельзя — это и так уже очень много. Этого уже достаточно для того, чтобы быть благодарным своему телу независимо от его размеров, параметров, внешнего вида и возраста. Ведь рано или поздно даже это тело будет у вас отнято и останутся только энергетические структуры эфирного тела. А значит, вместо того чтобы попусту комплексовать из-за своих физических недостатков и тратить на это энергию, нужно извлечь максимум возможностей из своего физического существования.

ЧТО ТАКОЕ ЗДОРОВЬЕ И ЧТО ТАКОЕ БОЛЕЗНЬ

Теперь, когда вы уже научились ощущать мир энергий, контролировать свои центральные энергетические потоки, налаживать правильный энергообмен с Космосом и Землей, вы имеете право заняться и телом, приведя его в гармонию и равновесие со своей выросшей и окрепшей энергоинформационной сущностью.

Для этого вы в первую очередь должны внимательно обследовать все свое тело, все его органы и системы, все ощущения внутри организма. Но делать вы это будете не при помощи медицинской аппаратуры, а только при помощи своей возросшей чувствительности и способности концентрировать внимание на разных участках своего тела.

Вы уже достаточно натренировались в выявлении патологий в эфирном теле. Значит, для вас не составит никакого труда обнаружить неблагоприятные участки и в физическом теле.

Если вы не знаете, где какие органы расположены, советую воспользоваться анатомическим атласом. После того как сориентируетесь, хотя бы приблизительно, в устройстве вашего организма, попробуйте сосредоточить все свое внимание сначала на одном органе (на каком захочется), потом на другом, третьем — и так на нескольких органах последовательно. Вы непременно заметите, как меняются ваши ощущения при переходе от органа к органу. В некоторых органах вы почувствуете какое-то напряжение, в других ощутите нечто вроде провала либо, наоборот, плотного энергетического образования. Причем если вы попробуете нормализовать эти области при помощи уже известных вам энергетических методов, то почувствуете, что вам это не удается. Это все — неблагоприятные сигналы, свидетельствующие о болезни, явной или пока еще не развившейся, потенциальной. Вот вы и научились ставить самому себе диагноз, теперь вам не требуется

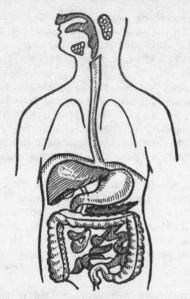

Рис. 62.

для этого идти к врачу. К тому же вы сами гораздо лучше чувствуете свое тело и все процессы, в нем происходящие, как физиологические, так и энергетические, чем самый лучший врач на свете.

Только не пугайтесь, когда обнаружите у себя какие бы то ни было патологические явления, и не впадайте в панику: вот, мол, трудились-трудились, избавлялись от порч и сглазов, а болезни все равно тут как тут... То, что болезни еще остались, — вполне естественно для вашего нынешнего этапа развития. Ведь тело накопило болезни за многие годы своей жизни. А сколько сглазов и порч оно получило в прошлые годы, когда вы ничего не знали о методах избавления от них? Не удивительно, что в теле все еще присутствуют некие остаточные явления в виде патологий в органах.

Но прежде чем избавляться от этих патологий, разберемся в том, что такое, собственно, здоровье и что такое болезнь для нашего физического тела.

Мы уже говорили о том, что все тело пронизано сетью энергетических каналов, которые отходят от центральных потоков, как ветви от дерева. Здоровье — это правильная организация как центральных потоков, так и побочных каналов, ко да энергия по ним течет ровно, без утечек, без застоев, без препятствий, без избытка либо недостатка энергии. Но самое главное — что при нормальной организации внутренней энергетики человеческого тела каждый орган ощущается по отдельности, как самостоятельная, суверенная энергетическая система, которая связана только с центральными потоками, но никак энергетически не связана с другими органами.

Соответственно, болезнь, как нетрудно догадаться, — это нарушение циркуляции энергии по каналам, возникновение застоев, препятствий, это иссякание энергии или, напротив, ее избыток. А главный характерный признак болезни — это возникновение новых, патологических энергетических потоков, связывающих органы друг с другом и лишающих их независимости и самостоятельности.

Вы помните, что начинать излечение надо с нормализации центральных потоков. Центральные потоки вы уже нормализовали. Поэтому теперь можете заняться и вторичными, более мелкими каналами и обратить свое внимание на энергетику каждого органа. Нормализовав центральные потоки, вы можете расправиться с остаточными явлениями патологической энергетики в органах и системах — то есть с последствиями нарушенного когда-то течения энергии.

Попробуем теперь обследовать пообстоятельнее энергетические потоки в органах тела. Для этого нам прежде всего нужно учесть, что патологические энергетические потоки бывают двух типов.

Первый тип — случайные и временные патологические сцепки, связанные, как правило, с острыми заболеваниями (аппендицит, ангина, резкий скачок артериального давления и т. д.).

Второй тип — сформировавшиеся, устойчивые и самоподдерживающиеся патологические потоки, вызывающие хронические и тяжелые заболевания (холецистит, стенокардия, бронхиальная астма и т. д.).

Первый тип патологических связей может быть вызван извне — как правило, такими уже знакомыми вам энергоинформационными поражениями, как сглаз, порча, вампиризм. Это значит, первый тип поражений вам уже практически не страшен — главное вовремя обнаружить у себя сглаз или порчу и избавиться от них (если ваша оболочка еще недостаточно крепка или атака была исключительно сильной). Если вы даже не заметили сразу эти поражения в своем эфирном теле и они успели спровоцировать, скажем, ангину — это тоже не так страшно: вы в любой момент можете провести нужные мероприятия и облегчить течение болезни, освободив себя от ее причины. Основная проблема здесь в другом — в том, что теперь вам придется избавляться от патологических связей, оставленных в вашем теле в прошлом. И здесь, конечно, придется поработать.

Что касается второго типа патологий, то с ними посложнее. Ведь причины их лежат уже не в эфирном теле, а в гораздо более высоких и тонких областях вашей энергоинформационной сущности — областях, отвечающих за структуры души и сознания. Работать с этими структурами вы пока еще не умеете. О том, как освобождать их от патологий, вы узнаете из следующих книг. А пока будем учиться ощущать патологические связки внутри своего организма и избавляться от них, не вдаваясь в более тонкие сферы.

Как же образуются эти патологические связки? Вот примерная схема их возникновения. Допустим, в эфирном теле образовался пробой по причине сглаза. Пробой поразил печень, в результате чего печень оказалась в нерабочем состоянии: ей больше не хватает энергии для жизнедеятельности. «На выручку» печени спешит желудок. Он начинает направлять ей потоки энергии, к которым печень тут же присасывается, так как своей энергии у нее больше нет. Тем самым уже желудок лишается необходимой ему энергии. К тому же нарушается энергетический баланс между желудком и кишечником. Кишечнику тоже начинает не хватать энергии, и он пытается ее «подвампирить» у той же печени. Но печень и так обесточена! Круг замкнулся.

Внутренние органы обросли патологическими энергетическими связками, а в печени все равно образуется энергетическая «дыра». Эта дыра становится постоянной, она углубляется и растет. Вот вам и причина гипокинезии желчных путей — очень распространенного сегодня заболевания. Оно обусловлено именно этой патологической энергетической петлей, которой сцепились между собой органы.

Такие петли могут возникать даже внутри одного органа. Например, у человека не функционирует часть легкого. Вторая половина вследствие энергоинформационного поражения тоже оторвана от центральных энергетических потоков, но тем не менее пытается работать «за двоих», отдавая жалкие остатки своей энергетики неработающей половине. В итоге обесточивает уже и себя. Отключается все легкое.

Какую бы болезнь мы ни взяли — мы всегда сможем обнаружить, что ее сопровождают патологические энергетические связки. Возьмем такое всем известное заболевание, как грипп. В материальном мире причиной гриппа является вирус, поражающий носоглотку. На самом деле вирус начинает развиваться не сразу. Сначала носоглотка оказывается лишенной энергетики вследствие сглаза или порчи. И только тогда в нее внедряется вирус. Мощная энергетическая оболочка — самая надежная защита от любых вирусов. Например, на продуктивной фазе шизофрении, когда больной с пораженным мозгом теряет контроль над астральными перемещениями эфирного тела и оно достигает исключительной мощности, он не болеет острыми респираторными заболеваниями. Но если оболочка пробита — вирусы тут как тут: ведь организм ослаблен потерей энергии, а им только того и надо.

Лишенные собственной энергетики верхние дыхательные пути не могут самостоятельно победить болезнь. И тогда они начинают отнимать энергию, к примеру, у легких. В этом случае ждите осложнения в виде воспаления легких.

Свою энергию на борьбу с болезнью может начать отдавать и сердце — оно делает это, усиливая свою деятельность в ходе воспалительного процесса. Если сердце и без того энергетически ослаблено, оно не справляется с дополнительной нагрузкой. И тогда не исключено осложнение на сердце.

Как видим, процесс излечения невозможен без энергетической коррекции работы органов, без избавления от патологических энергетических связок. Иначе болезнь будет все время перекидываться с одного органа на другой и создавать все новые и новые патологические связки между ними. Но ведь невозможно без конца перекидывать ограниченное количество энергии на все новые и новые заболевшие органы — энергия в конце концов просто иссякнет, и организм полностью выйдет из строя.

Выход только один — сначала устранять причины болезней в эфирном теле и в структурах сознания и души, а затем устранять оставшиеся патологические связки между органами и восстанавливать нормальную энергетическую структуру. А нормальная энергетическая структура, напомню, — это такая структура, при которой каждый орган питается только от центральных энергетических потоков, а не от соседних органов.

Система ДЭИР
ступень I

Шаг 18. Избавление от патологических энергетических связок в организме

Потенциальные возможности человека таковы, что он может научиться не только чувствовать каждый орган, но и управлять им. Известны примеры индийских йогов, которые умели не только запускать перистальтику кишечника в обратном направлении, но даже по своей воле останавливать, а потом снова включать сердце.

Развивать такие способности нам с вами вовсе не обязательно. Этот пример я привожу только для того, чтобы лишний раз убедить вас в огромных возможностях, заложенных в человеке от природы, которые, к сожалению, у большинства людей развиты лишь на два-три процента. Может быть, и вы достигнете когда-нибудь таких высот. А пока я предлагаю вам научиться чувствовать патологию в органах и устранять ее.

Итак, вы обследовали свой организм — орган за органом — при помощи сосредоточения своего внимания на каждом органе последовательно и анализа своих ощущений, связанных с тем или иным органом. Допустим, вы ощутили какое-то напряжение в органе. Это — патологическая энергетическая связка внутри органа.

Вы ощутили напряжение, охватывающее два или несколько органов, как бы связывающее их воедино. Сами эти органы воспринимаются несколько плотнее, более выпукло, чем остальные. Это — патологическая энергетическая связка между органами.

Вы ощутили в органе плотное образование или провал, никак не поддающиеся нормализации известными вам энергетическими методами. Это — внедрение в тело посторонней программы, заложенной на уровне сознания и души.

Еще раз повторю: не пугайтесь и не впадайте в панику. Ведь процессом нормализации своей энергетики вы занялись сравнительно недавно — месяц назад, две недели назад или только вчера? Конечно, вам еще предстоит поработать, чтобы разгрести все те завалы патологической энергетики, которые оставила в вашем теле и сознании ваша предыдущая жизнь. Вы здесь не уникальны. Точно с такими же проблемами сталкиваются абсолютно все люди, начинающие работу по очищению и освобождению своей энергетики. Главное — не останавливаться, продолжать очищаться и совершенствоваться.

Метод очищения от патологических связок внутри одного органа и между разными органами очень прост. Для этого чаще всего достаточно бывает мощной энергетической промывки всего организма. С этой целью в течение нескольких дней вам необходимо поддерживать повышенный уровень течения энергии обоих центральных энергетических потоков.

Если это не помогло, можно прибегнуть к такому приему. Попробуйте представить себе, что перед вами стоит... ваше собственное тело. Вообразите себе перед собой себя самого — в виде фантома. Определив предварительно, где именно имеют место патологические связки, вы можете своими собственными физическими руками, введя их в воображаемое тело, просто разорвать их — так, как если бы это были обыкновенные ниточки. После чего места, где присасывались эти связки, надо мысленно либо при помощи руки заполнить энергией, восстановив нормальные границы органов, — тогда прекратятся подсосы из соседних областей.

Не забудьте после всей процедуры мысленно соединиться с фантомом, совместив его границы с границами своего физического тела, — чтобы он, чего доброго, не пошел разгуливать где-нибудь сам по себе.

Можно проделать то же самое мысленно внутри своего собственного физического тела. Мысленно оборвать ниточки, мысленно восстановить нормальные границы органов. Можно предварительно сформировать мысленную программу: представьте себе идеальную энергетическую структуру внутренних органов, связанных только с центральными потоками и не связанных между собой. А теперь совместите мысленно эту идеальную структуру со своим телом и скорректируйте в соответствии с ней свое состояние.

Что касается удаления посторонних программ — то в полной мере вы сможете выполнить его тогда, когда узнаете о способах работы со структурами души и сознания. Пока вы можете провести уже доступный для вас вариант этой работы, который станет подготовкой к будущей более серьезной коррекции.

Приготовьтесь, что эта работа займет у вас как минимум несколько дней.

Вспомните, как вы учились отсасывать энергию при помощи руки из собственной области бедра. Точно так же вы можете оттянуть и чужую программу из того или иного органа, представив ее себе в виде сгустка чуждой энергетики. Приложите к области пораженного органа ладонь и представьте себе, что она всасывает энергию, как насос. Делайте это до тех пор, пока не почувствуете в органе легкость и отсутствие какого-либо неприятного ощущения. После этого обязательно вымойте руки холодной проточной водой. Если в органе ощущается провал, заполните его энергией. Затем надо сформировать программу нормального течения энергии с нормальными восстановленными границами органов, без всяких оттоков, выростов и уплотнений. Мысленно совмещаем эту картинку со своим организмом.

Еще несколько дней после этого вам придется усиленно гонять энергию по центральным потокам и концентрироваться на ощущении повышенного энергетического уровня в области интересующего вас органа.

Как проверить, правильно ли вами выполнена работа? Как определить, что энергетическая структура вашего организма пришла в норму?

Нет ничего проще. Тело всегда само подсказывает нам, есть в нем патология или оно в полном порядке. Надо только научиться его слушать. Имейте в виду: в состоянии нормы тело всегда ощущает полный и ничем не нарушаемый внутренний комфорт. И это — единственный и самый точный критерий успешности проведенной вами работы по коррекции своей энергетики. Если с телом у вас все в порядке, то оно получает удовольствие абсолютно от всех происходящих с ним процессов — будь это даже такие самые банальные физиологические процессы, как принятие пищи или опорожнение кишечника.

Если ваш организм испытывает чувство глубокого удовлетворения и от этих двух наиважнейших процессов, и от всех остальных — от физической работы, занятий спортом, прогулок на свежем воздухе, от сексуальных взаимоотношений и даже от процесса дыхания, значит, вас можно поздравить: с вашим организмом все в порядке.

А вот даже малейший дискомфорт должен насторожить. Тяжесть в желудке, сердцебиение, усталость, напряжение, ощущение перегрузки — это означает, что не все в порядке с энергетической системой и пришла пора с ней поработать.

Уделяйте каждодневное внимание своему телу и энергетическим процессам, происходящим в нем, до тех пор, пока не останется никакого дискомфорта, пока вы не забудете о том, что это такое — дискомфорт. Вам может показаться, что это нудная, неблагодарная, скучная работа, но, поверьте, здоровье тела стоит того, чтобы приложить к этой работе усилия. Очень скоро вы увидите, что тело не останется в долгу, оно обязательно отблагодарит вас за заботу и внимание — отблагодарит повышением тонуса, легкостью, бодростью, здоровьем.

Более того — стоит вам только попрактиковаться и как следует потренироваться в нормализации энергетики внутренних органов своего тела, как ваш организм приучится заботиться о себе сам. Заботу о нем возьмет на себя ваше подсознание — так называемая подкорка. Ведь вы уже показали своей подкорке пример того, как можно работать с внутренними органами. Подкорка запомнит это, программа работы запишется в ней как на видеокассете и будет включаться автоматически. Подкорке это положено по самой ее природе — брать на себя контроль за состоянием вашего здоровья и управлять нормальной работой органов в автоматическом режиме. Но поскольку у большинства людей все нормальные функции организма сбиты многолетним неправильным течением энергии, то вам придется слегка напомнить подкорке о ее обязанностях и настроить на работу. Постепенно организм таким образом перейдет на естественный режим самооздоровления.

Когда вы достигнете этого — порадуйтесь за себя от души, похвалите себя и поздравьте: ведь вы наконец вернули своему телу то состояние, которое было предназначено ему от природы. Вы исправили нарушаемый годами энергообмен, сделали его правильным и гармоничным. Вы включили в своем организме систему самооздоровления, которая теперь сама будет предотвращать развитие болезней. Если вам это удалось — это действительно большое достижение!

ПОСТСКРИПТУМ ДЛЯ ТЕХ, У КОГО НЕ ПОЛУЧАЕТСЯ

У большинства из вас, я уверен, все обязательно получится. Но все же я должен честно предупредить: эту работу, при всей ее внешней несложности, с первого раза проделать удастся все же не всем. Поэтому я хочу дать некую дополнительную информацию. Эта информация предназначена как раз для тех людей, эфирное тело которых отвыкло предоставлять энергию телу физическому. В этом случае описанный здесь вариант работы вряд ли будет достаточно эффективен. Только не считайте, что вы безнадежны и у вас ничего не получится. Обязательно получится! Просто вам нужно будет сделать еще одну дополнительную работу (она, кстати, не помешает и всем остальным), о которой мы будем говорить в следующей главе.

А пока разберемся в том, почему же, собственно, способ действия, изложенный в этой главе, не всегда эффективен. Все легко объяснимо: если телу в течение долгого времени не уделяли никакого внимания, то оно становится настолько энергетически обескровленным и слабым, что своими силами не может справиться с патологиями в органах. Просто подкорка, подсознание «исключили» тело из энергообмена.

Чтобы выжить, надо быть гармоничным — то есть сильным и здоровым как физически, так и энергетически, так и духовно. Развившейся и укрепившейся энергоинформационной сущности должно соответствовать развитое и крепкое тело — только тогда между ними будет гармония и равновесие.

Уровень энергетики своего тела вам придется повышать. От этого никуда не деться. Ведь только достигнув достаточного энергетического уровня, тело начнет различать, где в нем норма, а где патология. В противном случае у него нет точки отсчета, нет эталона, с которым можно сравнивать. (Помните? Так же было и в случае с сознанием, пока вы не научились создавать эталон.)

Ничего нового для повышения энергетики тела нам с вами изобретать не придется. Для этой цели существует множество разных упражнений, большинство из которых пришли к нам в основном из Древнего Востока. Некоторые из этих упражнений мы будем рассматривать в четвертой книге системы ДЭИР — книге, которая будет специально посвящена работе с организмом. Пока ограничимся одной, наиболее простой и доступной для начинающих методикой, которая хорошо зарекомендовала себя, будучи много раз проверенной на практике. Это оздоровительная система древней народности тенгри, которая прославилась своими долгожителями. **В следующей главе вы познакомитесь с этой системой. Она специально адаптирована мной к уровню развития и образу жизни современного европейца.**

Глава 9

Как слушать внутренние ритмы организма и помогать своему телу повышать уровень его энергетики

ЕСТЕСТВЕННЫЕ РИТМЫ: СИСТЕМА САМОПОМОЩИ

Еще раз напомню: энергоинформационная сущность человека — его душа и сознание — живут по своим законам, тело — по своим. Эти две разные ипостаси человеческого существа существуют отдельно, как бы в параллельных мирах. Их нельзя путать и смешивать, и нельзя законы тела применять к энергоинформационной сущности и наоборот.

Если мы будем всю свою энергию отдавать заботе о теле — мы таким образом совершим непростительную подмену: поставим тело на первое по значимости место. А это место должна занимать энергоинформационная сущность. Ставя тело на первое место, мы обожествляем его, делаем из него кумира (вспомните библейское: «Не сотвори себе кумира»). Поэтому главное для начала — разобраться в этой системе ценностей и поставить тело на подобающее ему место. Как только мы осознаем, что тело второстепенно, что это лишь вспомогательный инструмент, и научимся отдавать максимум энергии энергоинформационной сущности — нам тут же дадутся силы для заботы о теле. Но именно как о вспомогательном инструменте, не более того.

Заботиться об этом инструменте надо, потому что каким бы гениальным ни был музыкант и какое бы выдающееся произведение он ни собирался исполнить — вряд ли звуки, извлеченные из расстроенного рояля, будут совершенны.

В этой главе, как я и обещал, я хочу познакомить вас с достаточно простой и доступной, но вместе с тем эффективной системой помощи своему телу, которую вот уже не одно тысячелетие применяет небольшая алтайская народность тенгри. Она предназначена в первую очередь для людей, чье тело ослаблено и обесточено в результате многолетнего пренебрежения его интересами, а также для всех, кто хочет значительно повысить энергетический потенциал своего тела.

Я не случайно предлагаю вам именно эту систему, так как считаю, что она наилучшим образом подходит для современного западного человека. Конечно, вы вправе выбрать для своего оздоровления и какую-нибудь другую систему — благо человечество за свою долгую историю выработало несметное количество методов самопомощи организму. Среди них и китайский цигун, и индийские медитации, а также православные и мусульманские посты, русские обливания холодной водой по утрам — и это лишь мизерная часть всех методов, направленных на поддержание в норме ритмов человеческой физиологии.

Кроме того, в некоторых странах весь ритм жизни построен так, чтобы наиболее благоприятствовать организму. Пример — латиноамериканские послеполуденные сиесты, когда в середине дня, в самое жаркое время, жизнь в городах буквально замирает: закрываются магазины, прекращается работа в офисах и на предприятиях, пустеют улицы и пляжи. Люди отдыхают в полумраке и прохладе комнат с жалюзи на окнах и с кондиционерами.

Наш западный образ жизни не может похвастать таким бережным отношением к организму человека. Мы все — и особенно городские жители — очень далеки от естественных, природных ритмов существования. Например, если следовать природным ритмам, то просыпаться следует с восходом солнца, а засыпать — с заходом. Тогда организм живет в согласии с природой, не истощает себя понапрасну — и остается здоровым.

Но разве мы сегодня смогли бы жить так? Ведь это означает, что зимой, в самые короткие дни, мы должны были бы ложиться спать часов в пять вечера! Наш общепринятый образ жизни и режим работы наших предприятий нам просто не позволяет этого делать. Хотя именно это было бы самым правильным. В этом смысле медведи ведут себя гораздо мудрее людей, впадая в зимнюю спячку. Они-то знают, что зимой организм должен спать!

А мы что делаем? Приходим с работы к семи, плотно наедаемся, а потом сидим у телевизора до полуночи. И еще удивляемся: откуда эта утомляемость, это нервное перенапряжение, эта вечная головная боль? Да все оттуда: от разрыва с естественными природными ритмами жизни, в соответствии с которыми живут все живые существа, кроме самого разумного, «венца творения» — человека.

Мы с вами уже научились не зависеть от социума, не поддаваться его патологическим воздействиям, не принимать всерьез происходящие вокруг социальные перипетии — но даже в этом случае далеко не всегда удается жить так, чтобы жить, как Робинзон на острове, отстраненно от окружающего мира. Я вас к этому и не призываю. Даже научившись внутренне не поддаваться влиянию социума, чисто внешне следовать его правилам игры и условностям нам все-таки приходится. Нам приходится являться на работу тогда, когда начинает работать предприятие, а не тогда, когда нам этого хочется, забирать детей из школы, когда заканчиваются уроки, ходить по магазинам в соответствии с их режимом работы и так далее.

Надо, конечно, помнить, что все нормы жизни социума — это лишь внешние правила игры и принятая обществом модель поведения, которые не имеют никакого отношения к нашей истинной сущности. Но белыми воронами становиться мы с вами все же не будем, не будем демонстрировать всем своим образом жизни, что мы какие-то особенные, не такие, как все. Не будем действовать на нервы социуму, ложась спать в пять часов вечера, устраивая послеполуденные сиесты или целые сутки проводя в медитациях. Так же непросто для современного человека соблюдать посты, ходить босиком по снегу, находить время для занятий китайскими и японскими оздоровительными практиками. В то время как система тенгри позволяет заниматься самооздоровлением, не привлекая при этом к себе нездорового любопытства окружающих, а также не затрачивая слишком много времени, сил и средств.

В основе этой системы — учение о внутренних ритмах организма. Все в природе подчинено определенным ритмам. День сменяется ночью, солнце заходит и восходит в строго определенные промежутки времени, за зимой приходит весна, за весной лето, за летом осень, за осенью снова зима — в этом чередовании не бывает никаких сбоев, в природе все очень четко. Абсолютно все явления природы совершаются с заданной периодичностью, повторяясь в определенном ритме.

И человек, как часть природы, тоже имеет свою ритмическую организацию. Сердце стучит в определенном ритме. Через определенные промежутки времени у человека возникает потребность в сне, в принятии пищи, в опорожнении желудка. Ритмам подчинены абсолютно все процессы в человеческом организме. Посудите сами: ведь в нашем организме, во всех его органах, во всех клетках постоянно что-то происходит, идут какие-то процессы, какое-то движение — это и есть жизнь. Желудок перерабатывает пищу. Клетки усваивают питательные вещества. Их впитывает кровь. С кровью они разносятся по всем органам и системам. Одновременно из организма выводятся токсические и вредные вещества. В мозг поступают сигналы извне, и он посылает импульсы соответствующим органам и системам, заставляя наши руки и ноги двигаться, наше тело — ложиться, садиться, вставать, наши челюсти — пережевывать пищу. Постоянно обновляется кровь, клетки кожи, ногти, волосяной покров. Организм — гигантская фабрика, ни один цех, ни один станок, ни одна деталь которой не простаивает ни секунды.

А представляете, что было бы, если бы все эти процессы шли хаотично и каждый орган работал бы как бог на душу положит, кто во что горазд? Организм, наверное, был бы разорван на части под напором такой неупорядоченной бурной деятельности. Но этого не происходит, и про здоровый организм говорят: работает как часы. Эта четкая организация достигается за счет того, что миллионы процессов, происходящих в нашем организме одновременно, не хаотичны, а упорядоченны, согласованы между собой. И упорядоченны они именно благодаря внутренним ритмам организма.

Ритмы организма, в свою очередь, подчинены ритмическим пульсациям эфирного тела. Точно так же, как движение крови по сосудам обеспечивается пульсацией сердца, так и согласованность всех процессов в физическом теле обеспечивается пульсацией энергии в эфирном теле.

Суть системы тенгри как раз и состоит в том, чтобы научиться помогать этим естественным пульсациям энергии. Научившись им помогать, поддерживать естественные ритмы своего организма, мы автоматически можем достичь очень резкого повышения энергетического потенциала своего физического тела. Ведь в этом случае часть энергии центральных потоков, потребляемой эфирным телом, начинает идти на обслуживание организма — и организм словно просыпается, становится живым, активным, выходит из вялого и апатичного состояния, начинает жить полноценной жизнью и живо реагировать на все, что с ним происходит.

Но прежде чем учиться помогать своим естественным ритмам, разберемся в том, что это, собственно, за ритмы, какова их природа.

Человек, как мы знаем, это часть окружающего мира, часть природы, и, естественно, его ритмы очень тесно связаны с природными ритмами. С какими именно? Один из основных ритмов человеческого организма тесно связан со сменой дня и ночи. Человек постоянно живет в режиме: свет — тьма — свет — тьма, и так всю жизнь. Днем свет, ночью тьма, летом свет, зимой тьма — никому и никогда не остановить этот вечный круговорот.

Следующий ритм, который сказывается на человеческом организме, — это смена тепла и холода. Зима — холод, лето — тепло, и так опять же на протяжении всей жизни. Есть и суточные природные колебания, связанные со сменой тепла и холода: ночь — холод, день — тепло. Человеческий организм волей-неволей вынужден включаться в ритм этих колебаний. А если же он по каким-то причинам в этот ритм не включается — начинаются болезни. Не случайно у людей, работающих по ночам, как правило, масса заболеваний. Ведь у них сбиты все естественные ритмы, в результате организм ослаблен и увеличивается частота заболеваний.

Еще один ритм, которому подчиняется человек, — это смена влаги и сухости. Здесь все не так очевидно, как в случае с холодом и теплом, но при желании можно разобраться, что имеют в виду представители народности тенгри, разработавшие эту систему. Влагу они тесно связывают с весной (вешние воды, таяние снега), сухость — с осенью (прогревшаяся за лето земля отдает тепло). Но, заметьте, в природе все циклично, и сутки напоминают не что иное, как год в миниатюре. Влага — это не только весна, но еще и утро, а сухость — не только осень, но и вечер.

Итак, смена света и тьмы, смена холода и тепла, смена влаги и сухости — это и есть те основные природные ритмы, в согласии с которыми должен существовать человеческий организм, если он хочет быть здоровым.

Согласно системе тенгри, каждое из этих природных явлений связано еще и с природными стихиями. В природе существует четыре стихии: это вода, воздух, огонь и земля. Утро — это влага, что соответствует стихиям воды и воздуха, день — тепло (воздух и огонь), вечер — сухость (огонь и земля), ночь — холод (земля и вода). Так каждые сутки вместе со сменой дня и ночи, тепла и холода, света и тьмы, влаги и сухости сменяется влияние разных стихий. Каждое время суток проходит под знаком определенного природного явления, и, значит, под знаком двух стихий, ему соответствующих.

Задача человека, который хочет иметь здоровый, гармоничный организм, состоит в том, чтобы изо дня в день жить в контакте и в согласии с этими стихиями, подчинять их воздействию все свои внутренние ритмы. Ритмы даны нам в ощущении, и их нужно уметь чувствовать. Только тогда сами природные ритмы — ритмы стихий — начнут поддерживать ритмы вашего организма, усиливая их многократно, наполняя организм энергией. Многим наверняка известно явление резонанса. Когда мы начинаем жить так, чтобы наши собственные ритмы попадали в резонанс с ритмами природы, наш организм приобретает невиданное могущество и силу. Ведь ритмы природы — могучая сила. Они несут, помимо всего, еще и мощное очистительное воздействие. Только представьте себе, какими мы будем поистине могущественными, если их сила станет нашей!

Система ДЭИР
ступень 1

Шаг 19. Поддержание биологических ритмов тела

Итак, наша задача — научиться ежедневно контактировать с четырьмя стихиями, четырьмя ощущениями, сообщающими энергию телу и очищающими его от вредных влияний социального окружения. Для этого я предлагаю вам ежедневно выполнять всего лишь семь несложных упражнений: три упражнения собственно по регулировке и настройке тела и четыре упражнения, устанавливающих контакт со стихиями.

Совет: выполняя упражнения, обязательно концентрируйтесь на своих внутренних ощущениях. Имейте в виду: это не физзарядка, которую можно делать механически, — это, по сути, медитативные упражнения, усиливающие контакт тела с миром природы, знакомящие его с совершенно новыми ощущениями.

1. Утро. Вы только что проснулись и еще лежите в постели. Не надо сразу после пробуждения резко вскакивать — лучше заведите будильник минут на пятнадцать раньше, чтобы у вас было время как следует проснуться. Помните, что ваше тело — это не робот и не механизм. Оно живое. Так и относитесь к нему как к живому существу. Не заставляйте его автоматически, как по команде, подниматься, автоматически идти в ванную, автоматически глотать завтрак. Приучайтесь делать все осознанно, осмысленно, «с чувством, с толком, с расстановкой». Только тогда, когда тело начнет жить осознанно, оно проснется, перестанет прозябать в вечном полусонном состоянии и будет жить полноценно.

Для начала, после пробуждения, тело должно ощутить, что оно проснулось, впитать в себя окружающий мир, почувствовать жизнь всеми своими клетками. Для того, чтобы вызвать в себе это ощущение, очень полезно, проснувшись, не менее пяти минут разглаживать всю поверхность своего тела ладонями — с нарастающей степенью интенсивности. Проделывая это, чувствуйте, как оживают, пробуждаются при этом все клетки организма. Наслаждайтесь этими ощущениями, радуйтесь наступающему новому дню, к которому вы теперь вполне готовы.

Потом сладко потянитесь несколько раз и только после этого можете не торопясь встать.

2. Проснувшись, пробудив все тело и поднявшись с постели, можно приступить собственно к контакту со стихиями утра. Напомню, стихии утра — это стихии влаги, суть которой в сочетании воздуха и воды.

Поднявшись с постели, откройте окно, впустите в помещение свежий воздух — хотя бы на несколько минут, даже если за окном мороз. Затем умойтесь водой комнатной температуры, которую заранее заготовьте с вечера. Сначала умойте лицо и руки. Потом облейте все тело. Умывайтесь не спеша, сосредоточенно, с чувством, чтобы сполна впитать в себя ощущение влаги. Чувствуйте, как влага проникает в каждую клеточку вашего тела, как клеточки расправляются, оживают, молодеют, будучи насыщенными влагой. Не забывайте, человеческий организм на шестьдесят с лишним процентов состоит из воды, и контакт с влагой ему жизненно необходим.

Умывшись, встаньте прямо, расправьте плечи, расслабьтесь и сделайте ровно двадцать один быстрый и глубокий вдох—выдох. При этом сосредоточьтесь на ощущении нисходящего центрального потока.

Если вы почувствуете головокружение (это может быть от избытка кислорода, поступившего в мозг при интенсивном дыхании) — двадцать один раз резко плесните себе в лицо холодной водой. Это не помешает даже в том случае, если вы не почувствуете головокружения, — ничего кроме пользы не будет. Лучше, если это будет вода, всю ночь простоявшая на улице или на сквозняке.

3. Приближение полдня. Стихии влаги сменяются стихиями тепла: наступает время царствования воздуха и огня. Организм теперь должен подстроиться к этим стихиям. Найдите для этого хотя бы несколько минут, где бы вы ни находились. Можете сидеть на своем рабочем месте или ехать в транспорте — окружающие ничего не заметят. Ведь от вас при приближении полдня требуется всего лишь сконцентрировать внимание на восходящем потоке энергии, движущемся от нижней чакры впереди позвоночника.

Затем несколько раз неглубоко и очень медленно вдохните и выдохните. Если позволяет обстановка, можно закрепить эффект легким массажем головы. Для этого в течение пяти минут пальцами обеих рук надо производить мелкие щекочущие движения по всей поверхности головы.

Таким образом вы подготовите свое тело к восприятию стихий тепла — воздуха и огня.

4. Приблизительно начиная с часа дня надо начинать впускать в свой организм тепло, усиливать влияние стихии огня на свое тело. Для этого надо опять же ровно двадцать один раз вдохнуть и столько же раз выдохнуть, ощущая при этом, как усиливается центральный восходящий энергетический поток. Желательно при этом смотреть на солнце. Если солнце за тучами либо вы находитесь в помещении и солнце в данный момент находится за пределами восприятия ваших органов зрения — вместо него подойдет и лампа, и пламя свечи. Попробуйте в течение пяти минут впускать свет солнца (лампы, свечи) себе в левый глаз: так вы получите очень мощную энергетическую подпитку. Только будьте осторожны, если вы смотрите на солнце: чтобы не получить ожог роговицы, сощурьте глаз и смотрите сквозь ресницы, периодически моргая.

Попробуйте делать все это радостно — не так, как будто вы это делаете по суровой необходимости, и не потому, что так написано в книжке. Наслаждайтесь процессом, играйте — ведь вы вступили в великолепный творческий процесс общения с природой, с миром стихий, в котором вы полноправное существо. Почувствуйте, что вы живете в тесном контакте с миром, что мир вокруг — живой, что вся природа, все стихии готовы помогать вам, быть вам лучшими друзьями, если вы только отнесетесь к ним с добром и благодарностью.

5. Ближе к шести часам вечера необходимо постепенно снимать ощущение тепла. Стихия огня еще властвует над всем живым, но вступает в силу уже и другая стихия — стихия земли, которая несет в себе предчувствие будущего холода ночи.

Для того, чтобы прикоснуться к стихии земли, нужно провести разминку ступней — ведь именно через ступни организм воспринимает сухость и тепло земли. Проделайте несколько элементарных физических упражнений, связанных с поворотами ступней, затем разомните стопы руками. Так вы подготовите организм к восприятию стихий вечера.

6. За час до сна нужно провести краткий интенсивный массаж ступней. По возможности надо походить босиком по земле. Впрочем, для современного человека это возможно, как прави-

ло, только летом на даче. В другое время года можно просто походить без носков по комнате или по улице в тапочках или в ботинках. Даже в этом случае организм впитает через ступни сухость земли, свидетельствующую об уходящем вечере, и прохладу земли, свидетельствующую о наступающей ночи. Сконцентрируйтесь на ощущениях сухости и прохлады, которые через ступни поступают в тело и заполняют ваш организм. Дышать при этом надо спокойно и неглубоко. Лучше всего, если все это вы будете делать в темноте — идеальная подготовка к ночи.

7. Непосредственно перед сном, сняв одежду и разобрав постель, несколько минут посидите на краю кровати. Помните, как вы утром проводили включение тела, разминая его ладонями и помогая пробуждению? Теперь вы должны «выключить» тело перед сном. Для этого совершите легкие поочередные прикосновения ладонями ко всей поверхности тела — но ладони при этом не должны скользить по телу, они остаются на месте секунду-другую, после чего вы перемещаете ладонь на соседнюю область. То есть вы как бы успокаиваете все процессы в теле, не разгоняете их по телу, а, наоборот, замедляете своими прикосновениями, совершая такие мягкие и несильные умиротворяющие похлопывания.

Завершив эту процедуру, помассируйте основание черепа, ощущая при этом, как прохладный энергетический поток льется откуда-то сверху на ваш затылок, охлаждая его и успокаивая в теле все ощущения.

Перед сном настройте себя на восприятие холода и сухости, которые будут сопровождать вас в начале ночи, а ближе к утру тело должно воспринимать холод и влагу. Настройтесь на это ощущение, даже если ваша постель теплая. Холод — идеальное состояние для сна. Вспомните, как плохо спится в жару, когда и простыни и подушки горячие, и вы все время вертитесь, тщетно надеясь отыскать более прохладное местечко. Если даже в комнате жарко, создавайте внутри организма ощущение прохлады. Постепенно тело привыкнет к этому и будет даже во сне, безо всякого контроля со стороны сознания, воспроизводить нужные ощущения, запомнив их на клеточном уровне.

Вот вы и познакомились со всеми семью необходимыми вам упражнениями. Когда вы начнете регулярно, изо дня в день, их выполнять, ваш организм на уровне подсознания усвоит моменты перехода от одних стихий к другим и станет саморегулирующейся системой: он начнет автоматически включаться в природные ритмы и жить в полном согласии со стихиями и явлениями природы.

Вы сразу же ощутите улучшение самочувствия. Ведь вы сделали не что иное, как приучили свой организм жить в гармонии с природой, — а это именно то, чего больше всего не хватает современному поглощенному социумом человеку. Значит, теперь природа — ваш лучший друг и помощник. Она всегда придет на помощь в трудную минуту, когда вам будет нужно справиться с болезнью, с плохим настроением, усталостью, недомоганием.

Вы и сами теперь не столько представитель социума, сколько явление природы. А это очень увлекательно — быть явлением природы! Попробуйте — убедитесь сами. Очень скоро вам станет понятнее язык птиц, рокот волн, шум ветра, плеск речки. И ветер, и дождь, и мороз, и зной станут для вас не просто явлениями природы, а живыми существами. А ведь это и есть живые энергоинформационные сущности, просто люди настолько зашорены, что не замечают этого и не видят, что вокруг кипит жизнь.

Вы не только получите от стихий природы огромное количество энергии, а значит, здоровье, радость от земного существования, творческие силы, — вы еще почувствуете себя частью бескрайнего живого мира, научитесь вступать с ним в контакт. И тогда — прощай, одиночество! Можно быть одиноким среди людей, и никогда нельзя быть одиноким наедине с миром, наполненным жизнью в каждой точке времени и пространства.

Глава 10

Окончательная форма независимого энергетического существования

Вот мы и подходим к концу нашей первой книги — и к концу первого этапа вашего обучения. Впрочем, обучение — это в данном случае не совсем точное слово. Мы все знаем с детства, что человек должен учиться читать, писать, считать, потом постигать основы алгебры, физики, биологии, еще позже — зубрить сопромат и диамат...

Нас учат на протяжении всей нашей жизни чему угодно и как угодно. И чаще всего — абсолютно бесполезным вещам. Причем учат насильно, заставляют заучивать параграфы учебников, зубрить правила, сдавать экзамены, на следующий день после которых мы забываем все, что учили. Учат по устаревшим школьным и вузовским программам, вдалбливают в головы массу ненужных знаний, не обращая внимания на наши истинные потребности. Ведь никто и никогда не учил нас самому главному: искусству жить. Вот и получается, что человек, даже пройдя через всевозможные школы, институты, университеты, академии, аспирантуры, так и не получает ответа на самые главные вопросы: кто я такой? Откуда пришел в этот мир? Зачем жить и как жить?

Но истинное знание о жизни и о мире все-таки существует. Человечество вырабатывало эти знания за многие тысячелетия своего существования. Вот только знание это всегда было эзотерическим — то есть тайным, скрытым от посторонних глаз, доступным только посвященным. Этому не учат в университетах.

К этому знанию каждый человек всегда приходил сам — своим собственным путем. Это знание открывается человеку тогда, когда оно ему жизненно необходимо, когда он начинает чувствовать, что по-другому ему не выжить. Видимо, человечеству пришло время двигаться дальше. И не зря именно в нашей стране родилась система ДЭИР — Россия всегда была избранной страной.

Сейчас пришло и ваше время, дорогой читатель. Именно сейчас для вас настал тот момент, когда вы должны были прикоснуться к знанию об истинном устройстве мира, истинной природе человека. Это знание к каждому приходит вовремя. И к вам оно пришло вовремя — независимо от того, 20 вам лет или 70. Значит, так и должно быть — именно сейчас, не раньше и не позже, вы должны были узнать то, что узнали из этой книги. Она, как любые знания такого рода, не может попасть в руки людям неготовым.

Конечно, книга — это прекрасно, и я стремился создать такое пособие, которое позволило бы читателю овладеть максимумом полезных знаний по системе ДЭИР и приобщиться к ней на начальном, так сказать, базовом уровне. Но многое постигается только через непосредственное общение в ходе личного обучения. (Замечу, кстати: курсы школы ДЭИР в течение длительного периода не велись, но ко времени выхода этого издания они вновь должны начаться в Санкт-Петербурге под руководством моих учеников. Вы можете выйти на контакт с ними по телефону (812) 219-12-45, написав по адресу: СПб., 198103, Лермонтовский пр., 44/46, а/я 123, либо связавшись с издательством. Путь ДЭИР — это путь самостоятельного прогресса, но мы всегда готовы оказать вам поддержку.)

Если вам кажется, что вам уже слишком много лет и знакомство с ДЭИР произошло очень поздно, когда большая часть жизни уже прожита, — вы не правы. Во-первых, в энергоинформационном мире возраст физического тела не имеет никакого значения. Не будем забывать, что, утратив физическое тело, мы продолжим существовать в мире энергий. Во-вторых, как бы вы ни прожили свои предшествующие годы — поблагодарите свое прошлое, ведь в любом случае оно было именно таким, чтобы наилучшим образом способствовать развитию вашей истинной, энергоинформационной сущности.

Сегодня все больше и больше людей независимо от возраста, национальности и цвета кожи идут к эзотерическому знанию. Потому что все больше людей понимают: человечество зашло в тупик, и у него нет иного пути избавления от страшных болезней типа СПИДа, от экологических катастроф и войн, нет другого способа выживания, кроме одного: перевести цивилизацию на совсем иной путь, осознать свою принадлежность к энергоинформационному миру и начать жить по его законам, перестав подчиняться грубому материальному миру. Теперь и вы стали одним из этих избранных, прокладывающих дорогу для всего человечества — дорогу к новым ступеням эволюции. Но, как доподлинно известно, ничего похожего на цельную и законченную систему ДЭИР создано не было. Мы — все же первые.

Давайте еще раз осмыслим то, чего вы уже достигли. Подведем некоторые итоги первого этапа вашего развития как энергоинформационной сущности. Первого этапа Дальнейшего ЭнергоИнформационного Развития. Первого этапа ДЭИР.

Вы осознали, что истинная природа мира — энергетическая. Вы научились видеть и ощущать эту энергию. Вы поняли, что способность видеть и ощущать ее была дана вам от рождения — потому что человек от природы задуман так, чтобы он мог легко и свободно ориентироваться в мире энергий, в мире, где живет его истинная сущность. И вам не составило особого труда вспомнить эти забытые (и забитые социумом) способности. Теперь вы воспринимаете окружающий мир гораздо полнее и объемнее, чем большинство людей.

Вы уже начинаете осознавать и ощущать, что тело и сознание живут в разных измерениях, что физическое тело — это не есть ваша истинная сущность. Это — только временный «костюм». И вы уже можете с точки зрения своего сознания смотреть на тело со стороны, как на вспомогательный инструмент, который дан сознанию для облегчения существования в физическом плотном мире.

Вы научились сознательно освобождаться от программирующего и зомбирующего воздействия гигантских энергоинформационных паразитов, поработивших сознание миллиардов людей. Пусть даже в этом деле вы еще не достигли стопроцентного успеха — это не страшно. По крайней мере, вам теперь известны пути к этому освобождению, вы знаете средства его достижения и умеете успешно их применять — а это уже очень и очень много. И не страшно, если вам придется применять эти средства и приемы еще много раз и делать это достаточно часто. Это вполне естественно, ведь социум очень силен, он так и норовит на каждом шагу поймать человека в свои ловушки и капканы. Ведь ему так хочется отнять у вас вашу энергию и использовать ее для своих нужд.

А энергоинформационные паразиты, созданные и подкармливаемые социумом, в последнее время даже умножили свою силу и мощь. Так просто они не отпускают человека. Поэтому, если вы хотите вырваться на свободу, от вас требуется укреплять свою энергетику, накапливать силы и продолжать отграничивать свою энергетику от энергетики человеческого сообщества. Главное — не падать духом, твердо верить в свою победу и иметь несгибаемое и непоколебимое желание получить свободу. И тогда все обязательно получится. Игра стоит свеч. Свобода стоит того, чтобы за нее бороться.

Как вы думаете, почему люди на протяжении всей своей истории периодически устраивают бунты, мятежи, восстания, революции? Именно потому, что ими движет желание свободы. Но их беда в том, что они не знают, что такое истинная свобода. Они не понимают, что не там ищут свободу и не так за нее борются, не теми средствами. Вы теперь знаете, как добиваться свободы. И революции для этого вам устраивать совершенно ни к чему. Заметьте, ни одна революция в истории человечества не приводила ни к чему хорошему. Люди боролись за свободу — но в итоге ее так и не получали. Потому что любая революция приводила их только в новую запертую на замок клетку.

Истинный путь к свободе — это освобождение от энергоинформационных паразитов, выход сознания из-под их влияния. Это отграничение своей энергетики от энергетики социума и вообще физического мира и ощущение себя свободным энергоинформационным существом, для которого нет ни решеток, ни тюрем, ни границ, ни запретов.

Ни революции, ни войны, ни бунты никогда не давали и не дадут людям истинной свободы. Революции и бунты не только не освобождают от энергоинформационных паразитов — напротив, как мы с вами уже убедились, в результате войн и революций энергоинформационные паразиты только крепнут, растут и жиреют, подпитываясь негативной энергетикой человеческих страданий, которыми обязательно сопровождаются любые социальные катаклизмы. Это — замкнутый круг, в который сейчас попало человечество. Оно бегает по этому кругу, бездумно и бессмысленно, как белка в колесе, и никак не может вырваться из своих болезней и страданий, никак не может начать жить осознанно — проснуться наконец и увидеть истинные пути выхода из этого кольца.

Посмотрите вокруг. Люди передвигаются в пространстве как автоматы, живут в соответствии со схемами и стереотипами, веками вырабатываемыми социумом. Их подчиняют уже заранее заданные программы, они живут «как все», «как положено», а не так, как им хочется на самом деле — как нужно их энергоинформационной сущности. Они не слышат голос этой своей истинной сущности, которая только и мечтает быть услышанной, заявить о себе, вырваться на свободу.

Но человек не обращает внимания на эти свои внутренние глубинные потребности и желания. Он не замечает своего собственного пути, который подсказывает ему энергоинформационная сущность. Он всю жизнь ходит по тем тропинкам, которые проложили для него другие. И требует, требует, чтобы кто-то обеспечил ему здоровье и благополучие — правительство, депутаты, родственники, врачи. И не понимает, что всего этого он может достичь сам, без посторонней помощи. Надо только прозреть, открыть глаза — и ни правительство, ни президент, ни дети, ни родители, ни коллеги по работе, ни знакомые или незнакомые люди — никто больше не будет иметь над ним власти.

Вы ведь заметили, что, отключаясь от гигантских энергоинформационных сущностей, управляющих жизнью обычных людей, вы перестаете подчиняться правилам, по которым живет ваше окружение, — вы становитесь свободны в своих суждениях, мнениях, действиях, поступках и не подчиняетесь никому, кроме себя? Со временем это счастливое состояние станет для вас постоянным и вы будете жить так и только так, как сами считаете нужным, и никто не будет иметь над вами власти.

Вы переступили грань новой эволюционной ступени. Вы — не обычный человек.

Чем заполнена жизнь обычного человека? Учеба, работа, дети, магазины, очереди, вечная сутолока в транспорте, пенсия, телевизор... Все. Человек умирает с убеждением, что мир очень скучен и однообразен, что жизнь неинтересна. Умирает, так и не узнав истинных причин своих страданий и не научившись от них освобождаться. Умирает, так и не увидев, что рядом с ним, не замечаемый им, находится прекрасный мир, мир без страданий и болезней, мир радости и свободы. Мир, открытый для всех. Но человек не видит его, перед его глазами занавес, сотканный социумом и его представлениями о мире. Умерев, человек приходит в новый мир беспомощным, словно младенец. Он вступает в него, ничему не научившись, не выполнив задачи этой жизни, — как первоклассник, который не удосужился научиться даже говорить.

Если так будет продолжаться, человеческая цивилизация очень скоро закончится. Если человечество будет и дальше продолжать жить так, оно не выживет. На этом пути — пути, проложенном социумом, человек лишает себя энергетической подпитки, а потому обессиливает, болеет и встречает абсолютно бессмысленную и бесславную смерть.

Заметьте, сейчас очень многие недовольны своей жизнью, они болеют, страдают, сталкиваются с разного рода неприятностями.

Это не случайно. Можно даже сказать, что в этом есть большой положительный смысл, это даже необходимо — для того чтобы подтолкнуть человечество на путь истинный. Ведь на этот истинный путь чаще всего встают те, кто уже прошел через болезни и страдания. Человек, прошедший через страдания, легче воспринимает истины об энергоинформационном устройстве мира, о том, что надо самому учиться жить как энергоинформационное существо. Это происходит потому, что такой человек уже на своем опыте убедился: иначе ему не выжить.

Если же человека жизнь побила еще не сильно, если он все еще надеется найти счастье в социуме, получить благополучную безбедную жизнь от правительства с президентом, а здоровье — в районной поликлинике, то такой человек, конечно, вправе спросить: а зачем это мне нужно — влезать в какие-то энергоинформационные миры? Мне и так неплохо. И вообще ни я сам, ни мои предки, ни предки моих предков ни о чем таком не думали, и ничего — жили же как-то...

Что ответить такому человеку? Все дело в том, что он пока еще слеп. И вряд ли он поймет нас с вами, что бы мы ему ни ответили. В самом деле, а что бы вы ответили слепому от рождения человеку, если бы он задал вам вопрос: «Что даст мне зрение?» Трудновато ответить, правда? Ведь он же никогда не видел белого света, и вы не сможете ему объяснить, что такое солнце, что такое небо, море, снег, луна, звезды... Поэтому единственное, что вы можете сделать, так это сказать: «Ты начнешь видеть, а это прекрасно».

А что бы вы ответили еще не рожденному младенцу, если бы он вдруг спросил вас: «Что даст мне жизнь?» Все, что вы сможете ответить, это: «Ты начнешь жить, а это прекрасно». Вряд ли и в первом, и во втором случае вы найдете какие-то другие, более убедительные слова.

Так же и с человеком, который еще не познал способов существования в энергоинформационном мире. Он подобен слепцу, он подобен нерожденному младенцу. Он родился как физическое тело, но его истинная энергоинформационная сущность все еще спит, все еще пребывает во внутриутробном периоде своего развития.

Признавайтесь честно: а много вы видите вокруг себя людей, которые осознали свою энергоинформационную сущность, развили ее, восстановили свою энергетическую целостность, оторвавшись от энергетики окружения, и теперь живут осознанно, свободно, а не как слепцы, связанные по рукам и ногам энергетическими путами социума? Таких людей — единицы. И счастье, если в вашем окружении обнаружится хотя бы один такой человек. Так на кого похоже в массе своей сегодняшнее человечество? Правильно: на нерожденного младенца. Человеческое сообщество сегодня — это даже не малое дитя, это эмбрион, зародыш.

Когда люди массовым порядком начнут выходить из внутриутробного состояния своего сознания и превращаться из зародышей в грудных младенцев — вот тогда начнется переход на новую ступень эволюции человечества. Пока же этот процесс только-только намечается, он идет очень медленно, от одного человека к другому, от другого к третьему. По-настоящему прозревших сегодня менее одного процента от всего человечества. Но с каждым днем их становится все больше. И растет число тех, кто очень хочет выбраться на свет, кто уже не может жить во тьме.

Может быть, те, кто заказывал проект «Пастырь», подчинялись именно этим прогрессивным веяниям? Кто знает — но вряд ли. Они все-таки хотели лишь управлять другими. Но оказалось, что эффективно управлять другими можно только изменившись самому, — а вступив на новую ступень эволюции, играть в такие дешевые игры, как политика, просто смешно (такая жертва приносится только ради великой цели, а не для того, чтобы набить карман). И поэтому все, кто проходил обучение у нас в отделе по заданию командования, согласились только на курс основ управления, решительно отклонив дальнейшее обучение системе ДЭИР (основы управления будут изложены мною в третьем томе). А ведь ДЭИР — это и новая эволюционная ступень, и оборона, и оружие, и средство управления другими, и способ поддержания здоровья, и путь к достижению удачи... Четвертая ступень ДЭИР позволяет укрепить душу и начать существовать в энергоинформационной реальности, не прощаясь с физическим телом, а освоение пятой ступени ДЭИР дает возможность использовать собственное сознание для трансформации окружающего мира.

Потому и появилась эта книга — чтобы помочь людям.

Если вы усвоили все, о чем говорится в этой книге, вас можно от души поздравить с очень важным этапным событием в вашей жизни. Может быть, не менее важным, чем день вашего рождения. Вы действительно родились заново!

Вы уже поднялись на новую ступень человеческой эволюции. Большинство из тех, кого вы видите вокруг, остались далеко позади. Вы уже человек будущего, человек XXI века. Вы уже сейчас знаете то, что человечеству еще только предстоит открывать для себя. Сейчас оно застряло даже не в середине XX века, а где-то в средневековье, ведь известно, что серьезного скачка вперед в развитии человеческого сознания с тех пор не произошло. Вы же видите больше обычного человека, знаете больше обычного человека, можете больше обычного человека. В своих поступках, в жизни вы руководствуетесь уже другими целями (о целях в этой книге я пока ничего не говорю, но вы должны были ощутить, как они медленно начали меняться).

Спрашивается: что же нам теперь делать с этими, отставшими? Ведь с ними каждый день и на каждом шагу приходится иметь дело. В первую очередь я советую ни в коем случае не злиться на них и не проявлять высокомерия. Представьте себе, что вы — взрослый человек, а они — дети. Ведь они не виноваты, что они еще маленькие, а вы — большой. Вот и отнеситесь к ним как к детям. Вы ведь не будете презирать ребенка за то, что он писает в кровать и не умеет ходить и разговаривать. Вот и они такие — маленькие еще. А если они творят зло — вы-то знаете, что это только по незнанию, только потому, что они сами не ведают, что творят, потому что все их действия неосознанны. Ведь ими движут не их собственные воля и желание (хотя им-то кажется, что собственные), а мощные энергоинформационные паразиты, которые тянут их за собой и заставляют плясать под свою дудку. Эти люди — марионетки. А на марионеток ведь не держат зла за то, что они как-то неправильно двигают руками и ногами и норовят дать в глаз соседу.

Если вы все еще злитесь на таких людей, если вы их презираете, обижаетесь на них или ведете себя по отношению к ним высокомерно — вы таким образом только демонстрируете свою гордыню. А гордыня, как известно, это один из семи смертных грехов. Для вас гордыня — это пережиток, рецидив вашей прежней жизни. И если вы ее проявляете, это значит, общество вас опять поймало в свои сети и заставляет вас реагировать на происходящее по стереотипу, так, как это делает большинство людей: то есть злиться, гневаться, обижаться, презирать, смотреть свысока. Таким образом, вы опять отдаете свою энергию социуму, опять позволяете ему себя обесточить, лишить сил.

Но поймите, что отдавать свою энергию марионеткам бессмысленно, да и слишком много чести для них. Как можно всерьез реагировать на них, когда это всего лишь куклы? Пусть играют себе в свои игры на здоровье. Вы в эти игры больше не играете. Но — опять повторяю — не возноситесь в гордыне. Да, вы уже родились, тогда как окружающие еще пребывают в стадии внутриутробного развития. Но разве сам факт рождения — повод для того, чтобы возгордиться? У других просто еще все впереди, они подтянутся в свое время. Ну а не подтянутся — не выживут.

Не презирайте, не гневайтесь. Смотрите на отставших с умилением, как на играющих детей. Ах, какой нехороший мальчик, зачем тете в автобусе нагрубил? Ах, какие глупые детки, опять разборки из-за какой-то чепухи. Что у них там случилось — начальник обругал? Ай-ай-ай, какая серьезная проблема...

Для человека, вступившего на новую ступеньку эволюции, смешны и абсурдны эти «серьезные» проблемы людей, сознание которых еще не выбралось из материнской утробы общества себе же подобных. Человек, поместивший себя в энергоинформационный мир и живущий по законам своей энергоинформационной сущности, никогда не будет придавать значение таким мелочам и никогда не будет вникать всей душой во все эти социальные игры и коммунальные разборки. Он может разве что поиграть в это, как актер на сцене, для собственного удовольствия, но никогда не будет принимать близко к сердцу все то, что так важно для социума.

Человек, восстановивший свою энергоинформационную сущность, с легкостью перенесет даже те неприятности, которые в обществе считаются большой бедой: кражу драгоценностей, потерю большой суммы денег, пожар в квартире... Ведь если вы — существо энергоинформационное, вам не так уж важны все эти цацки, которые люди придумали для ублажения физического тела. Для вас и деньги, и драгоценности, и даже квартира — это просто игрушки, не имеющие особой ценности. Кроме того, вы более развиты, чем остальные, и восполнить потерю для вас не составит труда.

Вы только подумайте: ведь обычный человек от такого рода напастей может серьезно заболеть и даже умереть! Такая уж это для него жизненная трагедия. Человек же, поднявшийся на новую ступень эволюции, только усмехнется: драгоценности — дело наживное, умирать из-за такой ерунды — просто нелепо, ведь у меня есть душа, и вот она-то и есть настоящая ценность, по сравнению с которой любые бриллианты всего лишь ничтожные стекляшки. А бриллианты приобрести — пара пустяков (если они нужны — отчего бы нет?).

Сейчас ваша настоящая жизнь только начинается — независимо от того, сколько вам лет. Главное — не останавливаться. И что бы с вами ни произошло, помните, что энергетика — первооснова всего, она составляет фундамент всех ваших настроений, мыслей, поступков, всех происходящих с вами событий. Помните, что вы уже так много можете! Продолжайте контролировать ваши центральные потоки, чтобы оценивать и проверять свое состояние. Ваше сознание должно привыкнуть к постоянному восприятию центральных потоков — оно должно воспринимать их всегда и везде, независимо от того, где вы находитесь и чем занимаетесь. Ведь центральные потоки — это энергостанция, от которой зависит все ваше существование. А значит, малейший сбой должен быть тут же замечен и устранен.

Продолжайте применять приемы защиты от агрессии извне — тренируйтесь и тренируйтесь, пока защита не начнет работать автоматически.

Продолжайте очищать энергетику тела и предупреждать таким образом возникновение заболеваний.

Продолжайте укреплять свою защитную оболочку, позволяющую отключиться от энергоинформационных паразитов. Продолжайте укреплять и очищать энергетику своего тела при помощи упражнений, о которых говорилось в предыдущей главе.

А теперь оцените еще раз, как вы отличаетесь от окружающих людей. Ведь окружающие не имеют даже понятия о тех знаниях, которые есть теперь у вас, и не представляют, что можно укреплять и очищать свою энергетику, как это делаете вы. Они глухи и слепы.

Я, испытавший ДЭИР на себе, знаю: уже сейчас вы не мыслите себя без ваших новых возможностей — вы так привыкли их применять, что они стали вашим новым образом жизни. А вспомните, еще совсем недавно вы ничего не знали о методах работы со своей энергетикой! Теперь же это для вас — будни. А ведь, признайтесь, вы, как и большинство людей, считали, что измениться вам очень сложно, если не невозможно. Но вот же — изменились. Это подтверждение того факта, что наше сознание очень гибко, оно легко может трансформироваться в нужном направлении.

Похвалите же себя за свои достижения. Вспомните: часто ли вы в жизни себя хвалили? Иногда полезно сказать себе доброе слово даже просто так, ни за что. А сейчас у вас действительно есть очень серьезный повод, чтобы высказать похвалу себе. Начните себя уважать за то, чего вы уже достигли. Вы ведь идете по пути, а не прозябаете в стоячем болоте, как это делает большинство людей. Это достойно уважения.

И какие бы оценки ни давало вам общество, как бы ни отзывались о вас окружающие люди — ни в коем случае не принимайте эти оценки всерьез и не поддавайтесь им. Собаки лают — караван идет. Пусть все посторонние оценки отскакивают от вашей защитной энергетической оболочки, скатываются с нее, как с гуся вода. Вы знаете свою истинную ценность, вы знаете свою истинную энергоинформационную сущность. А общество вас совсем не знает — оно еще не доросло до того, чтобы понять это. Так разве могут его суждения по отношению к вам быть справедливыми? Для вас они теперь не имеют никакого значения. Нам всем с детства внушали, что коллектив всегда прав. Теперь пришла пора понять, что это не так.

В ряде случаев человек, инициированный ДЭИР к развитию, чувствует, что изменения в нем нарастают быстро, едва ли не лавинообразно. Это хорошо — он оказался способным учеником. Но это может его испугать, и поэтому я еще раз предупреждаю: останавливаться нельзя! Остановка для вас будет означать гигантский откат назад, в прежний мир болезней, страданий, депрессий. Продолжая путь, вы будете все больше и больше увлекаться процессом, ибо этот процесс сулит грандиозные перемены и в вас самих, и в вашей жизни. Постепенно вы почувствуете, что стали уверенным, свободным и независимым в суждениях, что у вас исчез даже намек на страх перед другими людьми, на зависимость от них. В самом деле, чего вам теперь бояться, от кого зависеть? Вы ведь знаете истину о мире — в отличие от большинства окружающих вас людей. У вас есть возможности, которых нет у них. Вы — новое, иное, другое существо, стоящее на более высокой ступени своего развития. По шкале системы ДЭИР вы преодолели первую ступень и заслужили звание Ученика.

Перед вами стоит невероятно важная и сложная задача — используя знания, полученные из книги, самостоятельно достичь и подключиться к тому энергетическому центру, который формируют стоящие на новой ступени. Это очень непросто в отличие от овладения практическими методиками книги. Но без подключения вы лишаетесь многочисленных выгод прямой энергетической поддержки. Например, подключение каждого уровня немедленно отражается на жизни обучающегося — какая-либо группа проблем в его жизни приходит к быстрому и удачному разрешению. В дальнейшем настройка на каналы общности ДЭИР — при помощи ощущения связи со своими единомышленниками, учителем, мной самим, настройки на специальные символы (способов установить связь множество) — позволит вам распоряжаться огромными по силе потоками энергии и вызывать к жизни кажущиеся на первый взгляд невероятными возможности.

Поэтому, для того чтобы осуществить объединение с энергетическим центром нового энергоинформационного единства, постарайтесь периодически прочитывать строки напутствия, повторяющегося в каждой книге системы ДЭИР. Несмотря на то что этот способ менее надежен, чем непосредственное подключение, выполняемое нами на занятиях, он дает более чем шестидесятипроцентный результат.

По мере возможностей и сил можете помогать прозревать другим людям. Только не надо пытаться насильственно раздирать веки человеку, который еще не готов увидеть свет. Помните: силком в рай никого не затащишь. Если человек еще не готов — так и Бог с ним, оставьте его в покое. Помогите тем, кто готов, кто тянется к уже известной вам информации, к этому знанию, — поделитесь своим знанием. Только помните, что у каждого человека свой, индивидуальный путь, не требуйте от людей, чтобы они шаг в шаг следовали за вами.

Прогресс в рамках нового эволюционного этапа имеет несколько четко различимых ступеней, преодоление каждой из которых заключает в себе определенные трудности и приносит дополнительные выгоды. Если самостоятельный путь покажется вам слишком трудным или вы захотите достигнуть совершенства в системе ДЭИР, то вам помогут курсы, проводимые специалистами.

Вы научитесь всему в системе ДЭИР. Этот путь может быть долог или короток — в зависимости от того, насколько вы окажетесь готовы к самостоятельному развитию. Вы обладаете огромными возможностями, но если вы встретились с трудностями в достижении своих целей, то всегда найдете помощь. Вы можете избрать путь самостоятельного прогресса или обучиться специально. В этом вам помогут учителя ДЭИР.

Тот, кто обучает ДЭИР других людей, открывает филиал школы ДЭИР, несет колоссальную ответственность. Он должен обладать огромными теоретическими и практическими знаниями, которые не могут поместиться даже в более объемную книгу. Я уже говорил и хочу еще раз повторить — для того, чтобы самостоятельно проводить занятия ДЭИР с другими людьми, учитель должен сам пройти специальное обучение. В ходе его он получает сумму особых навыков, необходимую для преподавания каждого этапа ДЭИР. Более того, чтобы преподавание было эффективным, учитель должен быть подключен к энергоинформационной поддержке общности ДЭИР на другом уровне, нежели его ученики. Самостоятельно настроиться на каналы мощной энергетической поддержки преподавателей, позволяющие выполнять подключение учеников, невозможно. В противном случае он может принести своим ученикам не пользу, а колоссальный вред.

Поэтому все преподающие ДЭИР по праву имеют специальные дипломы с указанием ступеней системы, которым может обучать обладатель документа. Эти дипломы подписаны мной и моим представителем Титовым К. В., отвечающим за организацию обучения ДЭИР. Дипломы выдаются только тем преподавателям, за которых мы отвечаем. Будьте внимательны — других преподавателей нет и быть не может!

К сожалению, наши сложные времена порождают множество самозванцев и шарлатанов. Мы не можем отсоветовать вам обращаться к человеку без диплома — но знайте, что этот человек не относится к нашей школе. Мы не можем отвечать за вред, принесенный им.

Но повторюсь: для вас открыт и путь самостоятельного прогресса. Вы свободны и можете помочь своим близким.

Итак, я говорю вам: с днем рождения! С началом жизни — новой, настоящей жизни!

И помните, что все еще только начинается.

Вы сейчас похожи на новорожденного, только что научившегося ползать или вставать в кроватке на ножки. Вы сейчас только-только зацепились за новую ступеньку эволюционного развития.

А что же дальше? А дальше, в следующих книгах, мы будем заниматься вопросами, связанными уже с осознанным существованием на этой новой ступени. Это будут способы осознанной жизни и действия в фазе независимого энергетического существования, в которую вы только что вступили. Вы уже вооружены начальными знаниями, чтобы преуспеть в этом. Сейчас, на данной стадии вашего развития, вы должны уже свободно ориентироваться в энергетически независимом способе существования. Помните аналогию с мячиками? Вы можете со всеми общаться, взаимодействовать — но никому не позволять делать в своей оболочке дырки и присасываться к ней шлангами.

Позже вы узнаете, что все человечество на самом деле представляет собой единый организм — на очень высоких энергоинформационных уровнях все люди связаны между собой. И в данном случае связи эти вполне естественные, а вовсе не патологические. Вы научитесь ощущать это свое единство и со всеми людьми, и со всем миром, и со всей Вселенной — и сами удивитесь тому, насколько это прекрасное и радостное чувство.

Но чтобы достичь таких высот в восприятии себя в единстве с другими людьми и миром, вы должны сначала ощутить свою отдельность. На уровне эфирного тела человек должен стать независимым, ни с кем энергетически не связанным. Представим себе, что человек — это клетка какого-то необъятного организма. Клетка должна быть отделена от других клеток своей целостной оболочкой, она должна быть обособленной, сохранять свою сущность именно как клетки и не сливаться с соседними клетками. Но может наступить момент, когда клетка вдруг осознает, что она — не просто клетка, а часть целого организма, и, сохраняя свою отдельность, живет тем не менее по законам всего организма. Если у клетки, предположим, расширится сознание и повысится уровень восприятия, она сможет ощутить себя не только клеткой, но и целым телом, к которому она принадлежит.

Нечто подобное ждет и вас, уважаемый читатель. Когда-нибудь вы почувствуете, что весь мир — это вы, что вся Вселенная — это вы, ибо высшими планами своей энергоинформационной сущности каждый человек соприкасается и соединяется воедино со всем миром. Надо только научиться это воспринимать. Представляете, какие небывалые ощущения ждут вас впереди?

Сейчас же вы, оставив позади себя прошлую ступень развития человечества, сформировали новую энергоинформационную структуру на более высоком уровне. Она связывает вас с вашими соратниками, тоже идущими путем ДЭИР. Просите у этой структуры помощи и делитесь с ней энергией. Пусть новая энергоинформационная структура будет достаточно сильна — в пятой книге ДЭИР вы узнаете, что это нужно не только для того, чтобы новая структура могла помогать своим членам, но и для того, чтобы в ней могли существовать покинувшие этот мир наши соратники. Они делятся со структурой ДЭИР своей душой, и поэтому она, в отличие от остальных сущностей энергоинформационного мира, обладает разумом. Разум помогает ей сохранить доброту и человечность. Когда она станет настоящей силой, в мире не будет больше насилия и войн.

Только тогда, когда вы сами сможете это ощутить, вы поймете, как глупы люди, до сих пор пытающиеся штурмовать космос при помощи придуманной ими сложной и громоздкой техники. Зачем, когда весь космос можно поместить внутри себя, когда можно самому стать всем космосом сразу? И, заметьте, без многомиллиардных затрат на освоение космического пространства!

Так что вы очень счастливый человек, мой дорогой Ученик. У вас столько всего еще впереди!

Заключение

Космические полеты — это ваша прекрасная перспектива. Пока же вы все-таки ходите по Земле и не слишком высоко от нее отрываетесь. И все же с недавних пор во Вселенной вспыхнула и засияла новая звездочка. Эта звездочка носит ваше имя, дорогой читатель. Ваша засиявшая новым чистым светом энергетическая оболочка стала этой новой звездочкой в энергоинформационном Космосе. И я уверяю вас, в этом Космосе она не осталась незамеченной. И она не одинока. Она образовала созвездие с звездочками других, двигающихся путем ДЭИР. И если теперь с вами начнут происходить разные чудесные вещи и вы столкнетесь с какими-то счастливыми случайностями, которых, казалось бы, ничто не предвещало, — не удивляйтесь. Вас заметили в энергоинформационном мире, вам оттуда обязательно будет приходить помощь — в виде нужной информации, нужного поворота событий. Не удивляйтесь: в энергоинформационном мире множество сущностей, заинтересованных в вашем росте и развитии, и они обязательно будут способствовать вашему продвижению по этому пути. Очень скоро вы и сами поймете, что это не фантастика, что вас действительно ведут и помогают не спотыкаться о кочки. Более того, если вы после смерти захотите задержаться в энергоинформационном поле Земли — вы сумеете это сделать.

А пока вы спокойно выполняйте свои текущие задачи. Вы уже научились наводить порядок внутри своего тела — наводить его силовыми, энергетическими методами. Очень скоро процесс очищения и трансформации вас в человека, свободно поднимающегося на новые и новые ступени эволюции, будет продолжен.

А в дальнейшем продвижении по этому пути вам помогут следующие книги системы ДЭИР. Вот что вам предстоит освоить:

— программы собственного эфирного тела, дающие заряд на здоровье и уверенность в себе;

— свободная коррекция кармы, выход из кармической цепи;

— способы управления людьми предыдущих ступеней эволюции;

— гармонизация окружающего мира (чтобы происходило только то, что нужно вам);

— укрепление и оздоровление души (становление духовного человека, воспитание харизмы, духовное возмужание, позволяющее управлять судьбой);

— изучение основного инструмента новой ступени эволюции — чувства веры, позволяющей трансформировать окружающий мир силой мысли.

Пусть ваша маленькая звездочка набирает силу и светит как можно ярче, заставляя зажигаться вокруг множество таких же живых звездочек. Вы теперь — пример для окружающих. «Имеющий глаза да увидит... » Увидит — и пойдет за вами. А я буду вам помогать.

А пока — до встречи в следующей книге!

Содержание

Верищагин Д. С.

ОСВОБОЖДЕНИЕ

Система дальнейшего энергоинформационного развития. **I ступень**

Главный редактор *М. В. Смирнова*
Художественный редактор *Р. И. Гриневский*

Лицензия ИД № 03520 от 15 декабря 2000 г.
Подписано в печать 27.02.02. Гарнитура NewtonC.
Формат 84×108^1/$_{32}$. Объем 6 п. л. Печать высокая.
Доп. тираж 15 000 экз. Заказ № 22.

Налоговая льгота — общероссийский классификатор продукции
ОК-005-93, том 2 — 953000

ИК «Невский проспект».
Адрес для писем: 190068, Санкт-Петербург, а/я 625.
e-mail: np@overlink.ru, np_red@trade.spb.ru
Тел. (812) 114-68-46, тел. отдела сбыта (812) 114-02-88,
факс (812) 114-44-70.

Отпечатано с фотоформ в ФГУП «Печатный двор»
Министерства РФ по делам печати, телерадиовещания
и средств массовых коммуникаций.
197110, Санкт-Петербург, Чкаловский пр., 15.

ФИЛИАЛЫ ШКОЛЫ ДЭИР

Россия

Абакан (Красноярск) .... 39022 - 40885
Альметьевск .... 85512 - 226759
Ангарск (Иркутск) .... 3951 - 537672, 538087
Архангельск .... 8182 - 651800, 468843
Астрахань .... 8512 - 251060
Ачинск (Красноярск) .... 39151 - 13276, 22761
Анджеро-Суджинск .... 38453 - 24736
Барнаул .... 3852 - 459808, 273488
Байкальск (Иркутск) .... 39542 - 5833
Балаково (Саратов) .... 84570 - 320197
Братск (Иркутск) .... 39531 - 433438, 378780
Белгород .... 0722 - 274160
Березняки (Пермь) .... 34242 - 17337, 35676
Белорецк (Уфа) .... 3472 - 313463
Бикин (Хабаровск) .... 42357 - 35344, 35194, 21720
Бийск (Новосибирск) .... 3854 - 775307
Владивосток .... 4232 - 259206
Владикавказ .... 886237 - 520121
Воронеж .... 0732 - 798691
Волгодонск .... 86392 - 75982, 20525
Волгоград .... 8442 - 972907, 972909
Волжский (Волгоград) .... 823 - 274695
Вологда .... 8172 - 719058, 231047
Гурьевск (Кемерово) .... 38463 - 22484
Добрянка (Пермь) .... 34265 - 20207, 28836
Димитровград (Казань) .... 84235 - 53211
Дюртюли (Уфа) .... 217 - 31057
Екатеринбург .... 3432 - 521425, 615877, 289903
Зеленогорск (Красноярск) .... 39169 - 37191
Ижевск .... 3412 - 221419, 269260
Иркутск .... 3952 - 334662
Казань .... 8432 - 555016
Калининград .... 0112 - 450163
Калуга .... 08433 - 22880
Камышин .... 84457 - 45193
Кемерово .... 3842 - 312400
Краснодар .... 8612 - 386308
Киров .... 8332 - 646738, 670158
Кисловодск .... 87937 - 49042
Комсомольск-на-Амуре .... 42172 - 53432
Красноярск .... 3912 - 652521
Красный Яр (Самара) .... 257 - 20681
Курск .... 0712 - 506308
Кольчугино .... 09245 - 45611
Лесосибирск (Красноярск) .... 39145 - 24522
Липецк .... 0742 - 259621
Магнитогорск .... 3511 - 324435
Майкоп .... 87722 - 76902, 30639
Москва .... 095 - 9053125, 9465620
Мурманск .... 8152 - 377634
Набережные Челны .... 8552 - 536593

Нальчик . . . . .8662 - 62102
Нерюнгри (Якутия) . . . . .41147 - 66703
Нефтекамск (Башкирия) . . . . .213 - 55761
Нижний Новгород . . . . .8312 - 444906, пдж. 303030 аб. 13019
Новотроицк (Оренбург) . . . . .35376 - 34681
Новосибирск . . . . .3832 - 280475, 900956
Новоуральск . . . . .34370 - 31170
Новокузнецк . . . . .3843 - 456849, 742335
Новокуйбышевск (Самара) . . . . .235 - 36016
Норильск . . . . .3919 - 444867, 370211, 370371
Ноябрьск . . . . .34564 - 54149
Нягань (Тюмень) . . . . .34672 - 61107
Омск . . . . .3812 - 256318, 347061
Оренбург . . . . .3532 - 760405
Орел . . . . .08622 - 56165, 25545
Орск (Оренбург) .3572 - 96561
Петрозаводск . . . . .8142 - 748519
Пермь . . . . .3422 - 128719, 655852
Пенза . . . . .8412 - 430147
Ростов-на-Дону .8632 - 258126
Рязань . . . . .0912 - 399368
Салават . . . . .3473 - 61294
Самара . . . . .8462 - 502221
Северодвинск . . . . .81842 - 18204, 66301
Саратов . . . . .8452 - 351148
Саяногорск (Хакассия) . . . . .39042 - 21384
Саянск (Иркутск) . . . . .39513 - 53063
Сердобск (Саратов) . . . . .1267 - 22020
Серов (Свердловск) . . . . .34315 - 21957
Сочи . . . . .8622 - 923883
Ставрополь . . . . .8652 - 735561
Старый Оскол (Белгород) . . . . .0725 - 422529
Стерлитамак . . . . .3473 - 334913, 243013
Сургут . . . . .3462 - 321870
Сызрань . . . . .84643 - 61426
Тайшет (Иркутск) .263 - 53539
Тамбов . . . . .0752 - 516799
Тверь . . . . .0822 - 337966
Тобольск . . . . .34511 - 55443
Тольятти . . . . .8482 - 380218, 455056
Томск . . . . .38242 - 70015 - Северск
Томск . . . . .3822 - 645210 - диспетчер
Тула . . . . .0872 - 371854, 484548
Тулун (Иркутск) . . . . .230 - 22736
Тюмень . . . . .3452 - 337653, 351689
Улан-Удэ . . . . .3012 - 379527
Ульяновск . . . . .8422 - 210985
Усть-Илимск (Иркутск) . . . . .39535 - 56053
Уфа . . . . .3472 - 257670, 55777
Хабаровск . . . . .4212 - 349665
Чебоксары . . . . .8352 - 414606
Чита . . . . .3022 - 926152, 264462
Челябинск . . . . .3512 - 602548

Череповец . . . . .8202 - 286985, 211724
Энгельс (Саратов) . . . . .84511 - 23919
Южно-Сахалинск . . . . .4242 - 713402
Ярославль . . . . .0852 - 660128, 472760, 720600 аб.307

Украина	Винница	0432 - 462140, 463584
	Вознесенск (Николаев)	05134 - 54912, 53920
	Волноваха (Донецк)	06244 - 41543
	Горловка (Донецк)	06242 - 42119
	Днепродзержинск	05692 - 68711
	Днепропетровск	056 - 7780311
	Донецк	0622 - 923820, 225668
	Житомир	0412 - 267850
	Запорожье	0612 - 586712
	Ивано-Франковск	03472 - 25272
	Киев	044 - 2445328, 2112297
	Кривой Рог	0564 - 283053
	Кировоград	0522 - 565480, 242674
	Константиновка	06272 - 21382
	Луганск	0642 - 417211, 528000, 521029,
	Луцк	03322 - 59710
	Львов	0322 - 356689, 746879, 934489
	Мелитополь	06142 - 53700
	Мариуполь	0629 - 224268
	Николаев	0512 - 433222
	Никополь	05662 - 97717
	Одесса	0482 - 7430450, 426605, 236397
	Ровно	03622 - 15226
	Севастополь	0692 - 542852
	Симферополь	0652 - 233218
	Славянск	06262 - 73040
	Ужгород	03122 - 27865, 26194
	Феодосия	06562 - 42472
	Харьков	0572 - 357938
	Херсон	0552 - 262025
	Черкасы	0472 - 644762
	Энергодар (Запорожье) . . .	061139 - 61065, 60381
Белоруссия	Брест	0162 - 272389
	Минск	017 - 2306214
Казахстан	Алма-Ата	3272 - 482757, 282948
	Астана	3172 - 267291, 214770,
	Астана	8-300-3191059 (моб.)
	Караганда	3212 - 425784
	Кокчетав	31522 - 28812
	Лениногорск	236 - 24528
	Семипалатинск	3222 - 420170
	Тараз	3262 - 461820
	Уральск	3272 - 513512
	Усть-Каменогорск	3232 - 694518
Грузия	Тбилиси	99532 - 723540, 363795

Латвия	Рига	371 -	9657598, 9447155, 9240110
Литва	Вильнюс	3702 -	651237, 8-299-90359
	Клайпеда	3706 -	494555
Молдавия	Кишинёв	30732 -	765170
	Тирасполь	0037333 -	76881
Узбекистан	Ташкент	998712 -	680546
Эстония	Таллин	372 -	6355102, 5517955 (моб.)
Австрия	Вена	43 676 -	339 24 31
Германия	Берлин	030 -	9377505
	Берлин	0179 -	1129536
	Бохум	02324 -	67941
	Дортмунд	074 -	2046828
	Дортмунд	0231 -	7223550
	Нюрнберг	0911 -	447739
	Минден	05741 -	40555
	Минден	0571 -	5091334
	Штутгарт	7171 -	81772
	Штутгарт	172 -	1630591 (моб.)
Греция	Афины	3097 -	4012581
	Салоники	3031 -	698812, 694673
	Салоники	3094 -	4647769
Израиль	Ашдод	054 -	731606
	Бэер-Шева	08 -	9933523
	Иерусалим	052 -	632544
	Иерусалим	054 -	820515
	Тверия	052 -	358641
	Тель-Авив		03-5101394, 08-9933523,
	Тель-Авив		08-9401632
	Хайфа		04-8422911
Канада	Ванкувер	604 -	7795881
	Торонто	905 -	6014734
	Торонто	416 -	7234848, 2010447
	Монреаль	514 -	7257015
Польша	Ольштейн	4889 -	5349451, 5351339
США	Денвер (Колорадо)	303 -	7439589, 3061403
	Нью-Йорк	917 -	8037525
	Нью-Йорк	212 -	3588686
Чехия	Прага	0607 -	633339
	Прага	0723 -	540294

Головная организация Школы в Санкт-Петербурге:
(812) 595-4142, 346-6885, 346-6886